一問一答

英検®

完全攻略問題集

高橋書店

音声のダウンロードについて

パソコン・スマートフォン等から無料で音声を聞くことができます。手順については、カバー折り返し部分をご参照ください。

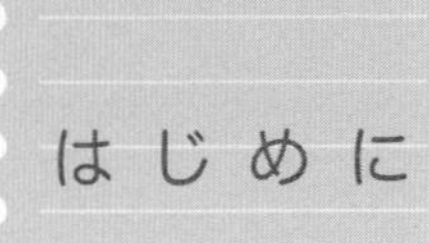

はじめに

英検®が初めて実施されてから約60年がたちました。今では年間受験者数が420万人を超え，試験内容は『より実用的』に進化し続けています。

その状況下で準２級は，多くの中学生・高校生が受験しています。けっして簡単ではない試験です。

準２級の特徴は
①中学校で習う「不定詞」「現在完了」「比較級」「関係代名詞」などの文法がやや難しくなった「発展問題」に，新たに「仮定法過去」や「仮定法過去完了」などが加わる
②単語・熟語も３級からレベルが大幅に上がり，語彙問題が増える
③リスニング速度が３級より少し速くなり，実際のネイティブの会話速度に近づく
と位置づけられます。

本書は，短期間で確実に英検®準２級合格を目指す皆さんのために，練習問題，模擬試験と単熟語＆文法集をまとめた問題集です。掲載問題の選択肢は，できる限り**準２級必須単語で構成**しました。そのため本番の問題より難しく感じるかもしれません。しかし準２級合格のための効率学習には，けっして無駄にならないはずです。
本冊で問題を解いて知らない単語があれば，別冊の「頻出単熟語」で確認してください。また別冊では「重要文法」「頻出会話表現」などもまとめて確認できます。

本書を有効活用した皆さんが，難関の「英検」準２級試験に晴れて合格されることを切に願っております。

著　者

本文デザイン／有限会社 エムアンドケイ　　イラスト／森 海里，上丸 健
編集協力／株式会社 一校舎，株式会社 カルチャー・プロ，株式会社 明昌堂，株式会社 内外プロセス
音声作成／有限会社 スタジオユニバーサル　　校正／株式会社 ぷれす，株式会社 鷗来堂

英検®受験のポイント

※試験内容などは変わる場合があります。

準2級のレベルは高校中級程度で，日常生活に必要な英語を理解し，使用できることが求められます。一次試験は筆記とリスニングに分かれ，合格すると二次試験の受験資格が与えられます。

二次試験は面接形式でスピーキングの技能を測るテストとなります。

一次試験

筆記

<table>
<tr><th>求められる
おもな能力</th><th>形式</th><th>内容</th><th>問題文の
種類</th><th>解答形式</th></tr>
<tr><td>語彙</td><td>短文の語句
空所補充</td><td>文脈に合う適切な語句を補う</td><td>短文
会話文</td><td rowspan="4">4肢選択
（選択肢印刷）</td></tr>
<tr><td rowspan="3">読解力</td><td>会話文の文
空所補充</td><td>会話文の空所に，適切な文や語句を補う</td><td>会話文</td></tr>
<tr><td>長文の語句
空所補充</td><td>パッセージの空所に，文脈に合う適切な語句を補う</td><td>物語文
説明文</td></tr>
<tr><td>長文の内容
一致選択</td><td>パッセージの内容に関する質問に答える</td><td>Eメール
説明文</td></tr>
<tr><td rowspan="2">作文力</td><td>Eメール</td><td>返信メールを英文で書く</td><td>Eメール</td><td rowspan="2">記述式</td></tr>
<tr><td>英作文</td><td>質問に対する回答を英文で書く</td><td>——</td></tr>
</table>

リスニング

<table>
<tr><td rowspan="3">聴解力</td><td>会話の応答文
選択</td><td>会話の最後の発話に対する応答として最も適切なものを補う（放送回数1回）</td><td rowspan="2">会話文</td><td>3肢選択
（選択肢読み上げ）</td></tr>
<tr><td>会話の内容
一致選択</td><td>会話の内容に関する質問に答える（放送回数1回）</td><td rowspan="2">4肢選択
（選択肢印刷）</td></tr>
<tr><td>文の内容
一致選択</td><td>短いパッセージの内容に関する質問に答える（放送回数1回）</td><td>物語文
説明文</td></tr>
</table>

二次試験

英語での面接

<table>
<tr><th>求められるおもな能力</th><th>形式</th><th>内容</th><th>解答形式</th></tr>
<tr><td rowspan="6">発話力</td><td>音読</td><td>50語程度のパッセージを読む</td><td rowspan="6">個人面接
面接委員1人
（応答内容，発音，語彙，文法，語法，情報量，積極的にコミュニケーションを図ろうとする意欲や態度などの観点で評価）</td></tr>
<tr><td>パッセージについての質問</td><td>音読したパッセージの内容についての質問に答える</td></tr>
<tr><td>イラストについての質問</td><td>イラスト中の人物の行動を描写する</td></tr>
<tr><td>イラストについての質問</td><td>イラスト中の人物の状況を説明する</td></tr>
<tr><td>受験者自身の意見など</td><td>カードのトピックに関連した内容についての質問に答える</td></tr>
<tr><td>受験者自身の意見など</td><td>日常生活の一般的な事柄に関する自分の意見などを述べる
（カードのトピックに直接関連しない内容も含む）</td></tr>
</table>

◉試験日程

	＜一次試験＞	＜二次試験＞
第1回	5月下旬 ～ 6月上旬	7月上旬 ～ 7月中旬
第2回	9月下旬 ～ 10月上旬	11月上旬 ～ 11月中旬
第3回	1月中旬 ～ 1月下旬	3月上旬

◉一次試験免除について

一次試験に合格し，二次試験を棄権あるいは二次試験が不合格だった場合，一次試験が1年間免除され，次回は二次試験から受験できます。ただし，申し込み時に申請が必要です。

◉申し込み方法

インターネット，コンビニエンスストア，英検®特約書店から申し込めます。

※S-CBT試験については，公益財団法人 日本英語検定協会のホームページをご参照ください。

※英検®は，公益財団法人 日本英語検定協会の登録商標です。

◆◆◆本書の特長◆◆◆

1 ▶テーマ別に学べる〈分野別〉一問一答問題

実際の本試験で出題される形式に沿ってパート分けしています。問題を解いたあと，解答・解説をすぐに確認できる一問一答式で，学習を効率的に進められます。

ポイントをつかむ！
テーマごとに学習上の注意点や，問題を解くためのポイントを示しています。

テーマ別に攻略！
問題は過去問を分析し，よく出題される重要なテーマ別にまとめています。

赤チェックシートで隠して学べる！
解答と選択肢などの日本語訳は文字色を赤くしています。シートで隠して学習しましょう。

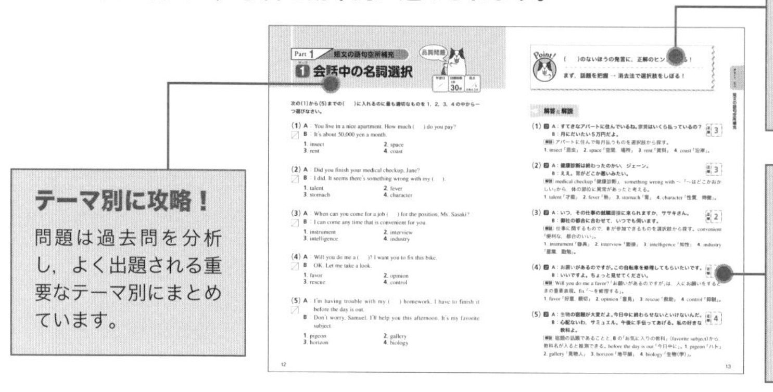
Part 1 短文の語句空所補充
1 会話中の名詞選択

次の(1)から(5)までの（　）に入れるのに最も適切なものを 1，2，3，4 の中から一つ選びなさい。

(1) A: You live in a nice apartment. How much (　) do you pay?
B: It's about 50,000 yen a month.
1 insect　2 space　3 rent　4 coast

(2) A: Did you finish your medical checkup, Jane?
B: I did. It seems there's something wrong with my (　).
1 talent　2 fever　3 stomach　4 character

(3) A: When can you come for a job (　) for the position, Ms. Sasaki?
B: I can come any time that is convenient for you.
1 instrument　2 interview　3 intelligence　4 industry

(4) A: Will you do me a (　)? I want you to fix this bike.
B: OK. Let me take a look.
1 favor　2 opinion　3 rescue　4 control

(5) A: I'm having trouble with my (　) homework. I have to finish it before the day is out.
B: Don't worry, Samuel. I'll help you this afternoon. It's my favorite subject.
1 pigeon　2 gallery　3 horizon　4 biology

Point!（　）のないほうの発言に，正解のヒントあり！
まず，話題を把握 → 消去法で選択肢をしぼる！

解答と解説

(1) A：すてきなアパートに住んでいるね。家賃はいくら払っているの？ B：月にだいたい5万円だよ。 3

(2) A：健康診断は終わったのかい，ジェーン。 B：ええ。胃がどこか悪いみたい。 3

(3) A：いつ，その仕事の就職面接に来られますか，ササキさん。 B：御社の都合に合わせて，いつでも伺います。 2

(4) A：お願いがあるのですが。この自転車を修理してもらいたいです。 B：いいですよ。ちょっと見せてください。 1

(5) A：生物の宿題が大変だよ。今日中に終わらせないといけないんだ。 B：心配ないわ，サミュエル。午後に手伝ってあげる。私の好きな教科よ。 4

2 ▶本番形式の模擬試験

一問一答式の問題を解き終えたら，学習の仕上げとして本番形式の模擬試験を解きましょう。

時間を計り，本試験と同じ時間内で解く練習もできます。

準2級模擬試験 筆記問題

1 次の (1) から (15) までの（　）に入れるのに最も適切なものを 1，2，3，4 の中から一つ選びなさい。

(1) A: There was a car (　) this morning.
B: Yes, I know. Many people saw it.
1 tournament
2 scream
3 medicine
4 accident

(2) He has many friends with (　) kinds of jobs. It is exciting for him to hear about different jobs.
1 various
2 nuclear
3 direct
4 actual

(3) Since the failure was caused by Ryusuke, he had to pay for the (　). But he didn't have enough money.
1 distance
2 detail
3 damage
4 degree

(4) A: Dad, I (　) where Ted is.
B: I don't know. Let's call his mobile phone.
1 advertise
2 regret
3 wonder
4 mistake

122

3 ▶別冊 頻出単熟語＆文法

英検®の頻出単語・熟語と重要文法を別冊にまとめています。

頻出単語には関連語や派生語も併記しています。まとめて覚えると，効率よく語彙力がアップします。

また，重要文法には押さえておくべき文法ポイントをまとめているので，しっかりと理解できます。

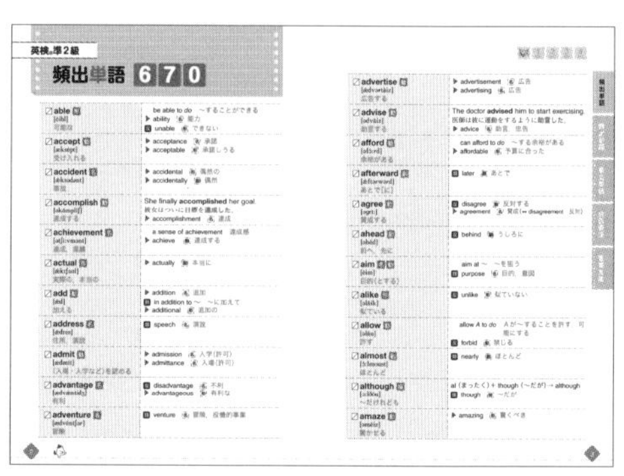
英検®準2級
頻出単語 670

able / accept / accident / accomplish / achievement / actual / add / address / admit / advantage / adventure
advertise / advise / afford / afterward / agree / ahead / aim / alike / allow / almost / although / amaze

第 1 章

分野別
一問一答問題

攻略 テクニック！

Part 1 短文の語句空所補充

POINT

※試験内容などは変わる場合があります

形　式　短文の空所に補充する語を4つの選択肢の中から1つ選ぶ。英文のタイプは文章と会話の2種類

問題数　15問（一次試験全体の約25％を占める）

目標時間　15分程度。1問を平均1分かけずに解くイメージ

傾　向　問題の種類は大きく「品詞」「熟語」の2つに分けられる。問題数の目安は，品詞10問・熟語5問

対　策　出題は，文にぴったり合う単語や熟語の選択。そのために欠かせない，語彙の知識をきちんと習得しよう

品詞問題

テクニック❶　単語は関連語も同時に覚えて効率アップ！

短期間で単語を確実に習得するコツは，**１つの基本単語からなるべく多くの関連語をいっしょに覚えること！**

別冊には，厳選した頻出単語とその関連語を掲載しています。まずはここから覚えましょう。例えば attend「参加する・世話をする(動詞)」なら，派生語の attendance「参加(名詞)」，attention「注意(名詞)」も同時に覚えます。

このように，派生語のほか反意語，類義語など，単語をつながりで覚えていけば，効率的で忘れにくく，語彙を確実に増やせます。

テクニック❷　前後の単語とのつながりから正解を導く！

問題文が難しくて全体を理解できないときには，（　）の前後の単語とのつながりから，正解を考えます。例えば問題が It would rain (　　), ... とあり，選択肢が

1. mentally　**2.** originally　**3.** properly　**4.** heavily

であれば，空所の前が「雨が降るだろう」なので heavily「激しく」とつながり，選択肢 **4** が正解と導けます。**選択肢が名詞なら直前の形容詞，動詞なら直後の目的語との意味のつながりに注目**しましょう。

熟語問題

テクニック❸　熟語はかたまりで覚えよう！

熟語問題では，熟語全体やその一部を選択肢から選びますが，もともとの意味が，熟語になることで大きく変わる単語もあり，その単語の単体の意味では正解を選びにくくなります。そこで重要なのが，熟語をかたまりで覚え，見覚えのある熟語を増やすことです。

例えば問題が John has kept (　　) touch with her …で，選択肢が

1. in　**2.** for　**3.** by　**4.** at

の場合，(　)の前後が kept (keep の過去分詞) と touch なので，**keep in touch with ～「～と連絡を取り合う」**の熟語の存在を知っていれば，意味は忘れていても **1.** in が選べます。

テクニック❹　熟語を使った短文の丸暗記が正解の近道！

熟語には似た形のものが多いため，意味ばかりか品詞の順番や前置詞も正確に覚える必要があります。その際に非常に有効なのが，**熟語を使った短文の丸暗記**です。熟語を短文で覚えておけば，単語とともに，その熟語がどんな場面で使われるかも同時に押さえられます。

別冊には，準２級頻出熟語を例文と並記しています。ぜひ活用してください！

テーマ 1 会話中の名詞選択

次の(1)から(5)までの(　　)に入れるのに最も適切なものを 1，2，3，4 の中から一つ選びなさい。

(1) A：You live in a nice apartment. How much (　　) do you pay?
B：It's about 50,000 yen a month.

1. insect　　2. space
3. rent　　4. coast

(2) A：Did you finish your medical checkup, Jane?
B：I did. It seems there's something wrong with my (　　).

1. talent　　2. fever
3. stomach　　4. character

(3) A：When can you come for a job (　　) for the position, Ms. Sasaki?
B：I can come any time that is convenient for you.

1. instrument　　2. interview
3. intelligence　　4. industry

(4) A：Will you do me a (　　)? I want you to fix this bike.
B：OK. Let me take a look.

1. favor　　2. opinion
3. rescue　　4. control

(5) A：I'm having trouble with my (　　) homework. I have to finish it before the day is out.
B：Don't worry, Samuel. I'll help you this afternoon. It's my favorite subject.

1. pigeon　　2. gallery
3. horizon　　4. biology

(　　)のないほうの発言に，正解のヒントがある！

まず，話題を把握 → 消去法で選択肢をしぼる！

解答と解説

(1) 訳 **A：すてきなアパートに住んでいるね。家賃はいくら払っているの？**
B：月にだいたい５万円だよ。

正解 3

解説 アパートに住んで毎月払うものを選択肢から探す。

1. insect「**昆虫**」 **2**. space「**空間，場所**」 **3**. rent「**賃料**」 **4**. coast「**沿岸**」。

(2) 訳 **A：健康診断は終わったのかい，ジェーン。**
B：ええ。胃がどこか悪いみたい。

正解 3

解説 medical checkup「健康診断」，something wrong with ～「～はどこかおかしい」から，体の部位に異常があったと考える。

1. talent「**才能**」 **2**. fever「**熱**」 **3**. stomach「**胃**」 **4**. character「**性質，特徴**」。

(3) 訳 **A：いつ，その仕事の就職面接に来られますか，ササキさん。**
B：御社の都合に合わせて，いつでも伺います。

正解 2

解説 仕事に関するもので，**B** が参加できるものを選択肢から探す。convenient「便利な，都合のいい」。

1. instrument「**器具**」 **2**. interview「**面接**」 **3**. intelligence「**知性**」 **4**. industry「**産業，勤勉**」。

(4) 訳 **A：お願いがあるのですが。この自転車を修理してもらいたいです。**
B：いいですよ。ちょっと見せてください。

正解 1

解説 Will you do me a favor?「お願いがあるのですが」は，人にお願いをするときの重要表現。fix「～を修理する」。

1. favor「**好意，親切**」 **2**. opinion「**意見**」 **3**. rescue「**救助**」 **4**. control「**抑制**」。

(5) 訳 **A：生物の宿題が大変だよ。今日中に終わらせないといけないんだ。**
B：心配ないわ，サミュエル。午後に手伝ってあげる。私の好きな教科よ。

正解 4

解説 宿題の話題であることと，**B** の「お気に入りの教科」（favorite subject）から，教科名が入ると推測できる。before the day is out「今日中に」。**1**. pigeon「**ハト**」 **2**. gallery「**見物人**」 **3**. horizon「**地平線**」 **4**. biology「**生物（学）**」。

Part 1 短文の語句空所補充

テーマ 2 文章中の名詞選択①

次の(1)から(5)までの(　　)に入れるのに最も適切なものを 1, 2, 3, 4 の中から一つ選びなさい。

(1) If you see Shakespeare's plays, you will realize that they have the same (　　) as many modern works.

1. shelters　　**2**. furniture
3. enemies　　**4**. themes

(2) I have two sisters. One of them is in London, and (　　) is in Sapporo.

1. an other　　**2**. another
3. the other　　**4**. other

(3) *Sado* is the tea (　　) of Japan. We learn good manners through practicing *sado*.

1. ceremony　　**2**. century
3. celebration　　**4**. center

(4) I would like to find a job in Australia. I think I can make use of my (　　) of foreign languages.

1. puppet　　**2**. dormitory
3. knowledge　　**4**. office

(5) Ken was much taller than any other student in his class. His height was a great (　　) in volleyball.

1. psychology　　**2**. advantage
3. grocery　　**4**. miniature

選択肢の名詞はすべて超重要なので覚える！

前後の動詞とつながる名詞が何かを考えよう。

解答と解説

(1) 訳 **シェークスピアの演劇を見れば，それらが今日の作品の多くと同じ主題を持っていることが分かるだろう。** 正解 **4**

解説 realize「分かる」。選択肢のうち，演劇が持っているのは「主題」。
1. shelter「避難所」 **2**. furniture「家具」 **3**. enemy「敵」 **4**. theme「テーマ，主題」。

(2) 訳 **私には2人の姉妹がいる。1人はロンドンに，もう1人は札幌にいる。** 正解 **3**

解説 「(2人のうちの)あとの1人」を表すのは **3**. the other「あとの1人，もう一方」。**1**. 冠詞 an は other にはつかない。
2. another「(不特定の)ほかの人[もの]」 **4**. other「別の人[もの]」。

(3) 訳 **茶道とは，日本のお茶の儀式である。私たちは茶道を通じて礼儀作法を学ぶ。** 正解 **1**

解説 茶道はお茶の何であるか，選択肢から探す。茶道(*sado*)＝ tea ceremony。
1. ceremony「儀式」 **2**. century「世紀」 **3**. celebration「お祝い」 **4**. center「中心」。

(4) 訳 **ぼくはオーストラリアで仕事を見つけたい。ぼくの外国語の知識が生かせると思う。** 正解 **3**

解説 仕事に，外国語の何が役立つか考える。make use of ～「～を利用する，～を生かす」。
1. puppet「操り人形」 **2**. dormitory「寄宿舎」 **3**. knowledge「知識」 **4**. office「事務所」。

(5) 訳 **ケンはクラスのだれよりもずっと背が高かった。彼の身長はバレーボールをするのに非常に有利だった。** 正解 **2**

解説 高い身長はバレーボールをするのにどうであるか考える。
1. psychology「心理学」 **2**. advantage「有利(な点)」 **3**. grocery「食料雑貨店」
4. miniature「縮小模型」。

Part 1 短文の語句空所補充

テーマ 3 文章中の名詞選択②

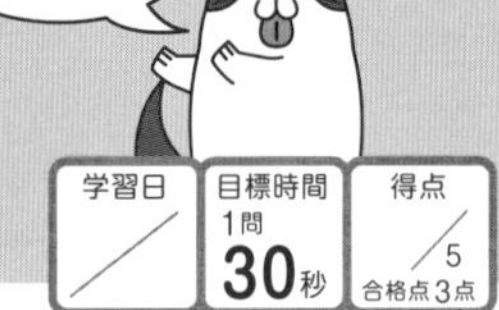

学習日	目標時間	得点
／	1問 30秒	／5 合格点3点

次の(1)から(5)までの(　　)に入れるのに最も適切なものを 1, 2, 3, 4 の中から一つ選びなさい。

(1) *Shogatsu*, New Year's Day, is one of the most important holidays in Japan. Visiting shrines during *shogatsu* is a (　　) called *hatsumode*.

1. fossil　**2**. tradition
3. recipe　**4**. dinosaur

(2) Ryoko showed her great (　　) on the piano at the concert.

1. skill　**2**. trade
3. fashion　**4**. notice

(3) The way to keep your (　　) is to have a well-balanced diet, exercise, and to sleep well.

1. route　**2**. meal
3. vase　**4**. health

(4) Jane had traveled for a week with her friends. After she came back home, she had a lot of (　　) to do, such as cleaning and washing.

1. moments　**2**. housework
3. restrooms　**4**. sights

(5) There is a big difference in Hitomi and Asami's character. But they have a good (　　) and go to school together every day.

1. license　**2**. score
3. chemistry　**4**. planet

２文の問題文では，(　　)のないほうの文にもヒントがあるので注目！

カタカナ語になっている名詞も多い。意味が分からない選択肢は読みから類推しよう！

解答と解説

(1) 訳 **日本の元日，正月は最も重要な休日の一つだ。正月の間に神社を訪ねるのは初詣（はつもうで）と呼ばれる伝統である。**　正解 2

解説 初詣は日本の何であるかを考える。

1. fossil「化石」 **2**. tradition「伝統」 **3**. recipe「調理法」 **4**. dinosaur「恐竜」。

(2) 訳 **リョウコはコンサートですばらしいピアノの腕前を披露した。**　正解 1

解説 コンサートで，ピアノの何を披露できるのかを考える。

1. skill「腕前，熟練」 **2**. trade「取引，貿易」 **3**. fashion「流行」 **4**. notice「注目」。

(3) 訳 **健康を保つ方法は，バランスの取れた食事をとり，運動し，よく眠ることだ。**　正解 4

解説 食事，運動，睡眠で保たれるものを考える。

1. route「道筋」 **2**. meal「食事」 **3**. vase「花瓶」 **4**. health「健康」。

(4) 訳 **ジェーンは友人と１週間旅行をした。家に帰ると，掃除や洗濯などのするべき家事がたくさんあった。**　正解 2

解説 掃除や洗濯が何という名詞で表せるかを考える。

1. moment「瞬間」 **2**. housework「家事」 **3**. restroom「お手洗い」 **4**. sight「景色」。

(5) 訳 **ヒトミとアサミの性格には大きな違いがある。しかし彼女らは相性がよく，毎日いっしょに学校に行く。**

解説 毎日いっしょに学校に行くのは何がよいからか考える。

1. license「許可」 **2**. score「成績」 **3**. chemistry「化学，相性」，have a good chemistry「相性がよい」 **4**. planet「惑星」。

Part 1 短文の語句空所補充

テーマ 4 会話中の動詞選択

次の(1)から(5)までの(　　)に入れるのに最も適切なものを 1，2，3，4 の中から一つ選びなさい。

(1) **A**：I'm sorry to (　　) you, but would you show me around the museum tomorrow?

B：Certainly. Then what time shall we meet at the main entrance?

1. forgive　　**2**. trouble
3. repair　　**4**. promise

(2) **A**：Maxwell's latest novel (　　) me very much.

B：Me, too. I just cannot wait for his next.

1. impressed　　**2**. offered
3. responded　　**4**. corrected

(3) **A**：If we (　　) you, what would you do for the growth of our company?

B：I'm sure my French ability will be useful for your company.

1. guide　　**2**. replace
3. press　　**4**. employ

(4) **A**：Excuse me, have you (　　) yet, sir?

B：Not yet, I was just about to call you. Well, I'll have a seafood sandwich and an orange juice.

1. instructed　　**2**. discovered
3. ordered　　**4**. belonged

(5) **A**：How are your children enjoying the winter vacation?

B：Well, they are (　　) to be able to make a snowman because of the heavy snow.

1. replied　　**2**. delighted
3. explained　　**4**. spent

登場人物の行動を，前後の文や会話相手の発言から読み取る！

(1) のような会話の頻出表現は，丸ごと覚えよう！

解答と解説

(1) 訳 **A：ご迷惑をおかけしますが，明日博物館を案内してくれませんか？**
B：もちろん。それでは，正面入口で何時に会いましょうか。

正解 2

解説 A の I'm sorry to trouble you, but ... は「ご迷惑をおかけしますが，…」という依頼の表現。1. forgive「許す」 2. trouble「悩ませる」 3. repair「修理する」 4. promise「約束する」。

(2) 訳 **A：マクスウェルの最新の小説に，私は本当に感動したわ。**
B：私もよ。彼の次回作がもう待ちきれないわ。

正解 1

解説 B の次回作が待ちきれない，という発言がヒント。1. impress「感銘を与える」 2. offer「提供する」 3. respond「応じる」 4. correct「修正する」。

(3) 訳 **A：もしあなたを雇えば，我が社の成長のために何ができますか？**
B：私のフランス語の能力が御社の役に立つと確信しています。

正解 4

解説 会話から，A の会社に B が入るための面接試験だと推測する。
1. guide「案内する」 2. replace「取って代わる」 3. press「押しつける」 4. employ「雇う」。

(4) 訳 **A：失礼いたします。もうご注文されましたか，お客様？**
B：まだだよ，今呼ぼうとしてたんだ。ええと，シーフードサンドイッチとオレンジジュースをいただくよ。

正解 3

解説 B が食べ物を注文しているので，レストランでの会話だと推測する。
1. instruct「教える」 2. discover「発見する」 3. order「注文する」 4. belong「所属する」。

(5) 訳 **A：あなたの子どもたちは冬休みをどう楽しんでいるの？**
B：そうね，大雪のおかげで雪だるまを作れて大喜びだわ。

正解 2

解説 子どもたちの気持ちとして成り立つものを考える。because of ～「～のおかげで」。1. reply「返答する」 2. delight「大喜びさせる」，be delighted to *do*「喜んで～する」 3. explain「説明する」 4. spend「費やす」。

Part 1 短文の語句空所補充

テーマ 5 文章中の動詞選択①

次の(1)から(5)までの(　　)に入れるのに最も適切なものを 1，2，3，4 の中から一つ選びなさい。

(1) Ten years have passed since the company opened shops abroad. Thanks to the good sales, the company is (　　) about 1 million dollars a year.

1. earning
2. judging
3. staring
4. researching

(2) When I (　　) in the morning, I found that my mother wasn't at home.

1. woke
2. failed
3. prayed
4. agreed

(3) Keiko knew that a famous singer was coming to her town, but she had no time to go to his concert. She was unhappy about (　　) such a good chance.

1. reminding
2. surrounding
3. arresting
4. missing

(4) Tom (　　) vegetables without even trying them. His mother often advises him to eat them.

1. feeds
2. reduces
3. dislikes
4. produces

(5) Despite our efforts, our soccer team lost the game by a score of one to two. The result (　　) me.

1. paid
2. disappointed
3. grew
4. united

時制の変化，不規則動詞の変化に注意！

知らない単語は，消去法でしぼり込もう！

解答と解説

(1) 訳 **その会社が海外に店を開いてから10年が過ぎた。好調な売上げのおかげで，会社は年に100万ドルを稼いでいる。** 正解 **1**

解説 the good sales のおかげで 100 万ドルをどうしたか考える。

1. earn「稼ぐ」 **2**. judge「判断する」 **3**. stare「じっと見つめる」 **4**. research「調査する」。

(2) 訳 **朝起きたとき，母親が家にいないことに気がついた。** 正解 **1**

解説 母親がいないと気づいたのはどんなときかを考える。

1. wake「目がさめる，起きる」，wake-woke-woken(waked) **2**. fail「失敗する」 **3**. pray「祈る」 **4**. agree「賛成する」。

(3) 訳 **ケイコは有名な歌手が町に来ることを知ったが，コンサートに行く時間がなかった。彼女はそんな好機を逃して残念だった。** 正解 **4**

解説 コンサートに行けなかったことを言い換えている。

1. remind「思い出させる」 **2**. surround「囲む」 **3**. arrest「逮捕する」 **4**. miss「逃す」。

(4) 訳 **トムは食べようともしないで野菜を嫌う。彼の母親はしばしばそれらを食べるように彼に忠告する。** 正解 **3**

解説 母親に忠告されても食べないとはどういうことか考える。without *do*ing「～しないで」。

1. feed「食べ物を与える」 **2**. reduce「減らす」 **3**. dislike「嫌う」 **4**. produce「生産する」。

(5) 訳 **努力したにもかかわらず，我々のサッカーチームは試合に１対２で負けた。その結果に僕はがっかりした。** 正解 **2**

解説 チームが負けてどう感じるか，選択肢から探す。despite「～にもかかわらず」（= in spite of）。

1. pay「支払う」 **2**. disappoint「がっかりさせる」，be disappointed「がっかりする」 **3**. grow「育てる」 **4**. unite「一つにする」。

Part 1 短文の語句空所補充

テーマ

6 文章中の動詞選択②

学習日	目標時間	得点
／	1問 30秒	／5 合格点3点

次の(1)から(5)までの(　　)に入れるのに最も適切なものを 1，2，3，4 の中から一つ選びなさい。

(1) Today, we can do many things on the Internet. We can study, shop, find a job, and (　　) a room at a hotel.

1. sentence　　2. trust
3. charm　　4. reserve

(2) Wendy could not play the piano a few years ago. But she (　　) every day, and now she is able to play difficult classical music.

1. delayed　　2. practiced
3. graduated　　4. locked

(3) Be sure to take rainwear with you when you (　　) a mountain. Mountain weather is changeable and it can start raining without warning.

1. organize　　2. protect
3. climb　　4. burn

(4) Richard and Matt met on the street by chance. They (　　) a few words and said good-by.

1. exchanged　　2. lent
3. served　　4. borrowed

(5) I couldn't (　　) to my mother how frightened I was at the time.

1. invent　　2. express
3. weigh　　4. lose

状況を，(　　)の前後からしっかり読み取る！

(1) の選択肢のように，動詞・名詞の両方でよく出る単語にも注意！

解答と解説

(1) 訳 **今日，私たちはインターネットで多くのことができる。勉強したり，買い物をしたり，仕事を見つけたり，そしてホテルの部屋を予約したりもできる。**

解説 インターネットを使ってできることを列挙している。

1. sentence「判決を下す」　**2**. trust「信頼する」　**3**. charm「魅了する」　**4**. reserve「予約する」。

(2) 訳 **数年前，ウェンディーはピアノを弾くことができなかった。しかし彼女は毎日練習し，今では難しいクラシック音楽を演奏することができる。**

解説 ピアノが上達するためにすることを考える。

1. delay「遅れる」　**2**. practice「練習する」　**3**. graduate「卒業する」　**4**. lock「かぎをかける」。

(3) 訳 **山に登るときは，必ず雨具を持って行きなさい。山の天気は変わりやすく，前ぶれなく雨になるおそれがあるのです。**

解説 be sure to ～は命令文で「必ず～しなさい」という意味。

1. organize「組織する」　**2**. protect「守る」　**3**. climb「登る」　**4**. burn「燃やす」。

(4) 訳 **リチャードとマットは偶然通りで会った。彼らは少し言葉を交わし，さよならを言った。**

解説 偶然(by chance)友人と会ったときにすることを考える。

1. exchange「交換する」　**2**. lend「貸す」　**3**. serve「仕える」　**4**. borrow「借りる」。

(5) 訳 **私は母親に，そのときどれほど驚いたかを表現することができなかった。**

正解 2

解説「どれほど驚いたか」をどうすることができなかったのか考える。

1. invent「発明する」　**2**. express「表現する」　**3**. weigh「重さを量る」　**4**. lose「失う，負ける」。

Part 1 短文の語句空所補充

テーマ

7 文章中の形容詞選択

次の(1)から(5)までの(　　)に入れるのに最も適切なものを 1，2，3，4 の中から一つ選びなさい。

(1) The cost of our new house was (　　) . I had to ask my mother for assistance.

1. thick　　2. huge
3. ancient　　4. cute

(2) There are many (　　) students at my college. I have friends from India, Canada, and the U.S.

1. local　　2. nervous
3. foreign　　4. tiny

(3) Tracy invited her friends to her house. Her child was so (　　) that he hid behind her when they arrived.

1. concrete　　2. bright
3. healthy　　4. shy

(4) I asked my boss to raise my salary. The demand was rejected in the (　　) decision.

1. final　　2. gradual
3. material　　4. round

(5) Bob doesn't know what to give Monica for her birthday. He is going to call his friend Jenny as her advice is always (　　).

1. dental　　2. helpful
3. rapid　　4. blind

(　　)の形容詞が前後の名詞をどう修飾するかを考えよう！

動詞とのつながりもヒント！　状況を正確に理解する。

解答と解説

(1) 訳 **新しい家の費用はとても膨大だった。私は母親に支援を頼まなければならなかった。**　正解 **2**

解説 母に支援を頼まなければいけないほど費用がかかった，と考える。
1. thick「**深い，濃い**」 **2**. huge「**膨大な，巨大な**」 **3**. ancient「**古代の**」 **4**. cute「**かわいい**」。

(2) 訳 **私の大学には多くの外国人学生がいる。私には，インド，カナダ，アメリカから来た友人がいる。**　正解 **3**

解説 さまざまな国をまとめて言い換えられる語を選択肢から探す。
1. local「**地元の**」 **2**. nervous「**神経質な**」 **3**. foreign「**外国の**」 **4**. tiny「**ちっぽけな**」。

(3) 訳 **トレーシーは友人たちを家に招待した。彼女の子どもはとても内気だったので，彼らが到着すると母親の後ろに隠れた。**　正解 **4**

解説 トレーシーの子どもが隠れた理由になる形容詞を選択肢から探す。arrive「到着する」。**1**. concrete「**具体的な**」 **2**. bright「**明るい**」 **3**. healthy「**健康的な**」 **4**. shy「**内気な**」。

(4) 訳 **私は上司に給料を上げてくれるように頼んだ。最終決定で私の要求は拒絶された。**

解説 選択肢から，decision「決定」を修飾できる語を探す。raise *one's* salary「給料を上げる」。**1**. final「**最終的な**」 **2**. gradual「**次第の**」 **3**. material「**物質の，有形の**」 **4**. round「**丸い**」。

(5) 訳 **ボブはモニカの誕生日に何を贈ればよいか分からない。いつも彼女の助言が役立つので，彼は友達のジェニーに電話するつもりだ。**

解説 第２文の as「～だから」は理由を表す接続詞。選択肢 **2** を入れれば，ジェニーの助言がいつも「役に立つ」と自然につながる。
1. dental「**歯の**」 **2**. helpful「**役に立つ，有用な**」（道具や機械などには用いない）
3. rapid「**急速の**」 **4**. blind「**盲目の**」。

Part 1 短文の語句空所補充

テーマ 8 文章中の副詞選択

次の(1)から(5)までの(　　)に入れるのに最も適切なものを 1, 2, 3, 4 の中から一つ選びなさい。

(1) In Okinawa, some people have never seen snow. The average temperature (　　) falls below 15 degrees even in winter there.

1. seldom　　**2**. exactly
3. perhaps　　**4**. almost

(2) Keisuke lost his way in the town and walked around for two hours. He couldn't walk (　　).

1. gently　　**2**. anymore
3. behind　　**4**. instead

(3) Reiko has visited London (　　). When she was six years old, she and her family took a trip there.

1. forever　　**2**. generally
3. ahead　　**4**. once

(4) Kumiko is tough in spite of her youth. (　　) great a disaster she faces, she never gives up.

1. Moreover　　**2**. Completely
3. However　　**4**. Finally

(5) Adam fell (　　) during the class. His teacher scolded him.

1. mainly　　**2**. nearby
3. quite　　**4**. asleep

形容詞の形と副詞(—ly)の形で意味の大きく変わる語に注意しよう。

動詞や文全体と意味がうまくつながる副詞を見つける!

解答と解説

(1) 訳 **沖縄では一部の人は雪を一度も見たことがない。そこでは冬でも平均気温が15℃を下回ることはめったにない。**

解説 雪が降らない地域では，冬でも気温がどうなのかを考える。

1. seldom「**めったに～ない**」 **2**. exactly「**正確に**」 **3**. perhaps「**たぶん**」
4. almost「**ほとんど**」。

(2) 訳 **ケイスケは町で迷って2時間歩き回った。彼はもうそれ以上歩けなかった。**

正解 2

解説 2時間も歩いたので，もう歩けないと考える。

1. gently「**やさしく**」 **2**. anymore「**もはや**」 **3**. behind「**～の後ろに**」
4. instead「**そのかわりに**」。

(3) 訳 **レイコは一度ロンドンを訪れたことがある。彼女が6歳のとき，家族とそこへ旅行したのだ。**

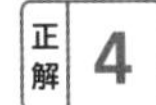

解説「行ったことがある」という経験を表す現在完了形に入る副詞を選ぶ。

1. forever「**永遠に**」 **2**. generally「**一般的に**」 **3**. ahead「**前に**」 **4**. once「**一度**」。

(4) 訳 **その若さにもかかわらずクミコはたくましい。どんな大きな災難に遭おうとも彼女は決してあきらめない。**

解説 (精神的に)たくましい人が災難に対してどうであるのかを考える。
disaster「災難，不幸」。

1. moreover「**そのうえ**」 **2**. completely「**完全に**」 **3**. however「**どんなに～でも**」 **4**. finally「**ついに**」。

(5) 訳 **アダムは授業中に眠ってしまった。先生は彼をしかった。**

解説 先生にしかられたのは，授業中にどうしたからかを考える。
during the class「授業中」，scold「しかる」。

1. mainly「**おもに**」 **2**. nearby「**すぐ近くに**」 **3**. quite「**まったく**」
4. asleep「**眠って**」，fall asleep「**眠る**」。

Part 1 短文の語句空所補充

テーマ

9 間違えやすい副詞選択

学習日	目標時間	得点
／	1問 30秒	／5 合格点3点

次の(1)から(5)までの(　　)に入れるのに最も適切なものを 1, 2, 3, 4 の中から一つ選びなさい。

(1) I don't like the color of the bag. (　　), it's too expensive.

1. While　　2. Inside
3. Besides　　4. Though

(2) (　　) people who live abroad for a long time sometimes have trouble understanding different cultures.

1. Apart　　2. Instead
3. Finally　　4. Even

(3) I went to see a movie made by a famous director. (　　) speaking, it was boring.

1. Cheerfully　　2. Gradually
3. Endlessly　　4. Frankly

(4) I don't know whether I can meet Daisuke at Narita Airport. But (　　) I will go there.

1. anyway　　2. outside
3. surprisingly　　4. enough

(5) A：Sachiko is really serious, isn't she?
B：I think so, too. She has never forgotten doing her homework (　　).

1. fairly　　2. yet
3. else　　4. constantly

問題文の大意をつかむことが正解への近道！

文頭に副詞がくる (2) のような文はとくに，文全体の流れを正確に理解する！

解答と解説

(1) 訳 **私はそのバッグの色が好きではありません。そのうえ，あまりにも高価です。** 正解 **3**

解説 バッグについて，「色が好きでない」と「あまりにも高価だ」をどうつなげるか考える。**1**. while「**～だけれども**」 **2**. inside「**～の中に**」 **3**. besides「**そのうえ**」 **4**. though「**でも**」。

(2) 訳 **長い間海外で生活している人でさえ，ときに異なった文化を理解するのに戸惑う。** 正解 **4**

解説「海外生活が長い」＝「海外生活に慣れている」のに戸惑う，と考える。
1. apart「**離れて**」 **2**. instead「**その代わりに**」 **3**. finally「**ついに**」 **4**. even「**～でさえ**」。

(3) 訳 **私は有名な監督によって作られた映画を見に行った。率直に言って，それは退屈だった。** 正解 **4**

解説 見に行った映画の感想を正直に述べている。frankly speaking「率直に言って」。**1**. cheerfully「**明るく**」 **2**. gradually「**だんだんと**」 **3**. endlessly「**はてしなく**」 **4**. frankly「**率直に**」。

(4) 訳 **私はダイスケに成田空港で会えるかどうか分からない。しかしとにかく，私はそこに行くつもりだ。** 正解 **1**

解説「会えないかもしれないが，行くつもりだ」の文意を変えずに加えられる副詞を探す。**1**. anyway「**とにかく**」 **2**. outside「**外部に**」 **3**. surprisingly「**驚くほど**」 **4**. enough「**十分に**」。

(5) 訳 **A：サチコは本当にまじめだね。**
B：ぼくもそう思う。彼女はまだ宿題を忘れたことがないんだ。

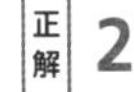

解説「一度も～したことがない」という現在完了の「経験」で使われる，適切な副詞を選ぶ問題。
1. fairly「**公平に**」 **2**. yet（否定文）「**まだ(～ない)**」 **3**. else「**ほかに**」
4. constantly「**絶え間なく**」。

Part 1 短文の語句空所補充

テーマ 10 熟語中の動詞選択

熟語問題
学習日
目標時間
1問
30秒
得点
5
合格点3点

次の(1)から(5)までの(　　)に入れるのに最も適切なものを 1, 2, 3, 4 の中から一つ選びなさい。

(1) Mr. Yamada is (　　) to have been a police officer when he was young.

1. shot　　2. hung
3. said　　4. blown

(2) A：(　　) of a trip, I'm going to visit Kyoto with Kevin next week.
B：Wow, that's fine. Please have a nice trip.

1. Owning　　2. Speaking
3. Pressing　　4. Lifting

(3) Alisa is going to Guam next Monday. She has to go to the bank to (　　) yen for dollars.

1. expect　　2. express
3. excuse　　4. exchange

(4) A：I'll come and see you at eight, Naomi.
B：OK. I'm (　　) forward to seeing you.

1. looking　　2. watching
3. listening　　4. hearing

(5) The beautiful scenery (　　) me of my times in Shizuoka. I decided to go there for a visit next week.

1. recovered　　2. removed
3. recommended　　4. reminded

原形，進行形，過去分詞など，動詞の形に注意！

(　　)のあとの前置詞がヒントになる。

解答と解説

(1) 訳 **ヤマダさんは，若かったころ警察官だったと言われている。** 正解 3

解説 警察官であったことがどうしたのか，当てはまる動詞を選ぶ。

1. shoot「撃つ」，shoot-shot-shot　2. hang「掛ける」，hang-hung-hung
3. say「言う」，be said to be ～「～であると言われている」，say-said-said
4. blow「吹く」，blow-blew-blown。

(2) 訳 **A：旅行と言えば，ぼくは来週ケビンと京都に行くつもりなんだ。**
B：わあ，それはいいね。どうぞ楽しい旅行を。 正解 2

解説 旅行の話を新しく始めている。話題を転換するときの表現を選ぶ。

1. own「所有する」　2. speak「話す」，speaking of ～「～と言えば」
3. press「押し付ける」　4. lift「持ち上げる」。

(3) 訳 **アリサは来週の月曜にグアムに行く予定だ。彼女は円をドルに両替するために銀行に行かなければならない。** 正解 4

解説 銀行で，円をドルにどうするのかを考える。

1. expect「期待する」　2. express「表現する」　3. excuse「言い訳をする」
4. exchange A for B「A を B に両替(交換)する」。

(4) 訳 **A：8時に会いに行くよ，ナオミ。**
B：分かった。会えるのを楽しみにしているわ。 正解 1

解説 会う約束をした相手に気持ちを伝える表現を考える。

1. look forward to *do*ing「～するのを楽しみに待つ」。

(5) 訳 **その美しい景色は静岡にいたころを思い出させた。私は来週そこに行くことを決めた。** 正解 4

解説 景色が昔のことをどうさせたのか考える。

1. recover「回復する」　2. remove「取り除く」　3. recommend「推薦する」
4. remind A of B「A に B を思い出させる」。

Part 1 短文の語句空所補充

テーマ 11 熟語中の名詞選択

次の(1)から(5)までの(　　)に入れるのに最も適切なものを 1，2，3，4 の中から一つ選びなさい。

(1) Mr. Nakayama is in (　　) of hiring new employees. He hired two women in April.

1. charge　**2**. method
3. height　**4**. factor

(2) **A**：Jun causes a lot of trouble. Yesterday he broke the vase in the classroom.
B：Some students say he did it on (　　) to make Mr. Aoki angry.

1. mess　**2**. reason
3. signal　**4**. purpose

(3) **A**：I heard that Shiori didn't attend the party with our customers.
B：She didn't, because of a sudden accident. Her boss took her (　　).

1. room　**2**. place
3. space　**4**. case

(4) **A**：I had an argument with Dad yesterday. Should I tell him I'm sorry?
B：I think so. Please keep in (　　) that he worries about you, Erica.

1. heart　**2**. idea
3. mind　**4**. head

(5) Rena attended the meeting in (　　) to give a sales report.

1. handle　**2**. claim
3. order　**4**. address

熟語として，全体の形と意味を正しく覚えよう！

熟語になると，もともとの名詞の意味と大きく変化することがあるので注意！

解答と解説

(1) 訳 **ナカヤマさんは新しい従業員を雇用する担当者だ。彼は4月に2人の女性を雇った。**

解説 2文目より，ナカヤマさんが従業員を雇っていることが分かる。employee「従業員」。**1**. charge「攻撃，請求」，be in charge of ～「～の担当である」 **2**. method「方法」 **3**. height「高さ」 **4**. factor「要素」。

(2) 訳 **A：ジュンはよく問題を起こすね。彼は昨日，教室の花瓶を割ったんだ。**
B：生徒の数人は，彼はアオキ先生を怒らせるためにわざとやったと言っているよ。

解説 先生を怒らせるために「わざと」したと考える。
1. mess「混乱」 **2**. reason「理由，原因」 **3**. signal「信号」 **4**. purpose「目的」，on purpose「わざと」。

(3) 訳 **A：シオリがお客様とのパーティーに出なかったと聞いたよ。**
B：突然の事故のせいでね。彼女の上司が代わりを務めたよ。

解説 シオリが参加できなかったので，「代わりに」上司が出たと考える。
1. room「部屋，余地」 **2**. place「場所」，take *one's* place「～の代わりをする」 **3**. space「宇宙，空間」 **4**. case「場合，事件」。

(4) 訳 **A：私昨日，父さんと口論したの。謝るべきかしら。**
B：そう思うわ。どうか，父さんがあなたの心配をしていることを忘れないでね，エリカ。

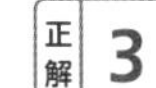

解説 父親がいつも娘を心配していることを，心に留めるよう伝えている。argument「口論，議論」。**3**. mind「心」，keep in mind ～「～を心に留める」。

(5) 訳 **リーナは，販売報告をするために会議に出た。**

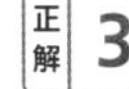

解説 会議に出たのは「販売報告をするため」だと考える。
1. handle「取っ手」 **2**. claim「主張」 **3**. order「命令」，in order to *do*「～するために」 **4**. address「住所，演説」。

テーマ 12 熟語中の前置詞選択

学習日 ／　目標時間 1問 30秒　得点 ／5 合格点3点

次の(1)から(5)までの(　　)に入れるのに最も適切なものを 1, 2, 3, 4 の中から一つ選びなさい。

(1) **A**：Thank you very much for helping me so much. I'll make up (　　) the trouble I caused.
B：Why don't you take me to a restaurant someday?

1. for　　**2**. with
3. to　　**4**. at

(2) I can't get rid (　　) this cold. I am going to see a doctor tomorrow.

1. in　　**2**. from
3. of　　**4**. on

(3) The leading actress of the new film is Linda, one of the most popular singers in the US. The theater was crowded (　　) many young fans.

1. by　　**2**. until
3. over　　**4**. with

(4) Yoshihiko studied hard for the exam. (　　) the other hand, Ryuichi couldn't study because of a bad headache.

1. At　　**2**. On
3. In　　**4**. To

(5) You must watch out (　　) heavy snow during this season of the year. Even a house may be damaged by it.

1. as　　**2**. in
3. about　　**4**. for

熟語の前置詞だけを問う問題も頻出！

別冊(p.58 ～)の例文で使い方を身につけよう！

解答と解説

(1) 訳 **A：たくさん助けてくれてありがとう。ぼくの起こした問題の埋め合わせをするよ。**

B：それならいつかレストランに連れて行ってくれない？

解説 助けてもらったBに，埋め合わせをすると言っている。cause「～を引き起こす」。Why don't you ～？で「～してくれませんか」。

1. make up for ～ **「～の埋め合わせをする」**。

(2) 訳 **私はかぜが治らない。明日医者に診てもらうつもりだ。**

解説 「かぜが(　)なので医者に診てもらう」と考える。see a doctor「医者の診察を受ける」。

3. get rid of ～ **「～を取り除く，～を抜け出す」**。

(3) 訳 **新作映画の主演女優は，アメリカで最も人気のある歌手の一人，リンダだ。劇場は多くの若いファンでいっぱいだった。**

解説 人気歌手主演の映画で，劇場がどうだったかを考える。the leading actor [actress]「主演」。

4. be crowded with ～ **「～でいっぱいである」**。

(4) 訳 **ヨシヒコは試験のために一生懸命勉強をした。一方で，リュウイチはひどい頭痛で勉強できなかった。**

解説 勉強をした人とできなかった人の対比となる熟語を見つける。headache「頭痛」。

2. on the other hand **「一方で」**。

(5) 訳 **1年のこの季節の大雪には気をつけなければならない。そのせいで，家さえ損傷するかもしれない。**

解説 内容から，「大雪に気をつける」という意味の熟語をつくる。damage「損傷させる」。

4. watch out for ～ **「～に気をつける」**。

Part 1 短文の語句空所補充

テーマ

13 動詞を含む熟語選択

学習日	目標時間	得点
／	1問 30秒	／5 合格点3点

次の(1)から(5)までの(　　)に入れるのに最も適切なものを 1，2，3，4 の中から一つ選びなさい。

(1) **A**：Shinji (　　) his little sister very well.
B：Yes, he also teaches her soccer. I often see them playing soccer in the park.

1. keeps away from　　**2**. gets out of
3. takes care of　　**4**. comes up to

(2) Manami and Seiko come from the same area and are the same age. They are (　　) each other.

1. ending up with　　**2**. getting along with
3. coming up with　　**4**. running out of

(3) The police arrested Ronald for stealing. But two days later, he (　　) not to be guilty.

1. turned out　　**2**. went through
3. ran after　　**4**. brought up

(4) **A**：We need to start in a minute. Are you ready to go?
B：No, not yet. Please go ahead, Ichiro. I'll (　　) you soon.

1. make up for　　**2**. look up to
3. put up with　　**4**. catch up with

(5) Because natural resources are limited, we must (　　) saving energy in our daily lives.

1. look down on　　**2**. pay attention to
3. keep in touch with　　**4**. drop in

熟語全体を選ぶ問題では，紛らわしい選択肢やもとの意味から大きく変わる動詞を含む熟語に注意！

英文をしっかり訳し，文意から当てはまる熟語を考えよう！

解答と解説

(1) 訳 **A：シンジは妹の面倒をとてもよく見ているね。**
B：ああ，それに彼は妹にサッカーも教えているんだ。彼らが公園でサッカーをしているのをよく見かけるよ。

解説 Bの発言から，妹の世話をよくしていることが分かる。
1. keep away from ～「**～を避ける**」 **2**. get out of ～「**～から出る**」 **3**. take care of ～「**～の世話をする**」 **4**. come up to ～「**～に添う**」。

(2) 訳 **マナミとセイコは同じ地域の出身で年齢もいっしょだ。彼女たちはお互い馬が合う。**

解説 女性２人がお互いにどうであるか，当てはまる熟語を考える。**1**. end up with ～「**～に終わる**」 **2**. get along with ～「**～と馬が合う**」 **3**. come up with ～「**～を思いつく，提案する**」 **4**. run out of ～「**～を使い果たす**」。

(3) 訳 **警官は窃盗でロナルドを捕まえた。しかし２日後，彼に罪はないことが分かった。**

解説 ２文目のBut, notに注目する。逮捕されたが犯人でないことが分かった。
1. turn out to ～「**～と分かる**」 **2**. go through ～「**～を通り抜ける，経験する**」
3. run after ～「**～を追う**」 **4**. bring up ～「**～を育てる**」。

(4) 訳 **A：もうすぐに出発しなければならないよ。準備はいい？**
B：いや，まだだよ。先に行って，イチロウ。すぐに追いつくよ。

解説 先に行った人に対してどうするかを考える。go ahead「先に進む」。
1. make up for ～「**～を償う**」 **2**. look up to ～「**～を尊敬する**」 **3**. put up with ～「**～を我慢する**」 **4**. catch up with ～「**～に追いつく**」。

(5) 訳 **天然資源には限りがあるので，日常生活の中でエネルギーを節約することを心がけなければならない。**

解説 限りある天然資源を守るため，エネルギー節約にどうするのかを考える。
1. look down on ～「**～を見下す**」 **2**. pay attention to ～「**～に注意を払う**」
3. keep in touch with ～「**～と連絡を保つ**」 **4**. drop in ～「**～に立ち寄る**」。

Part 1 短文の語句空所補充

テーマ14 前置詞を含む熟語選択

学習日 ／ 目標時間 1問 30秒 得点 ／5 合格点3点

次の(1)から(5)までの(　　)に入れるのに最も適切なものを 1，2，3，4 の中から一つ選びなさい。

(1) I thought Takamichi would not do well in the audition for the play. But (　　), he passed it thanks to his last effort.

1. all at once
2. above all
3. at first
4. after all

(2) A：The baseball game starts at nine in the stadium tomorrow, Dad. What time do you think I should leave home to get there (　　)?

B：Well, you should leave home at eight at the latest.

1. at the most
2. on sale
3. in time
4. for a while

(3) Yesterday Yuta had bad luck. (　　) losing his bike, he spilled water on his cellphone.

1. In detail
2. In addition to
3. In charge of
4. In general

(4) A：I'm going to Okayama for three days by (　　) the vacation from tomorrow.

B：Great. I wish I could do too. Anyway, have a nice trip!

1. taking advantage of
2. putting up with
3. reaching out for
4. coming close to

(5) (　　) the weather forecast, we will have a strong north wind in the evening. We should go home as early as we can.

1. Arriving in
2. According to
3. Asking for
4. Applying for

形の似ている熟語がよく出るので，きちんと覚えよう！

別冊(p.58 ～)の例文を使った熟語と使い方の丸暗記が有効！

解答と解説

(1) 訳 **私は，タカミチは演劇のオーディションでうまくいかないと思っていた。しかし結局，土壇場の努力で合格した。**

解説 落ちると思っていたが，最終的には合格したと分かる。

1. all at once「突然に」 **2**. above all「とりわけ」 **3**. at first「最初は」 **4**. after all「結局」。

(2) 訳 **A：父さん，明日スタジアムで９時に野球の試合が始まるんだ。時間通りに着くためには何時に家を出ればいいと思う？**
B：そうだね，遅くとも８時には出発するべきだよ。

正解 3

解説 家を出る時間についての会話。at the latest「遅くても」。

1. at the most「最大で」 **2**. on sale「売り出し中で」 **3**. in time「間に合って」 **4**. for a while「しばらくの間」。

(3) 訳 **昨日ユウタは運が悪かった。自転車をなくした上，携帯電話に水をこぼした。**

解説 不運な出来事を連続して述べている。**1**. in detail「詳細に」 **2**. in addition to ～「～に加えて」 **3**. in charge of ～「～の担当で」 **4**. in general「一般的に」。

(4) 訳 **A：ぼくは明日から休みを利用して，３日間岡山に行くんだ。**
B：いいね。ぼくもそうできたらなあ。とにかくいい旅を！

解説「休みを(　　)して旅行する」の空所に入る表現を考える。

1. take advantage of ～「～を利用する」 **2**. put up with ～「～を我慢する」 **3**. reach out for ～「～に手を伸ばす」 **4**. come close to *do*ing「あやうく～しそうになる」。

(5) 訳 **天気予報によれば，夕方には強い北風が吹くだろう。できるだけ早く家に帰るべきだ。**

正解 2

解説 天気予報の内容についての話題であることをつかむ。

1. arrive in ～「～に到着する」 **2**. according to ～「～によると」 **3**. ask for ～「～を求める」 **4**. apply for ～「～に申し込む」。

攻略テクニック！

Part 2 会話文の文空所補充

POINT

※試験内容などは変わる場合があります

形式 会話文の空所に適した1文を，4つの選択肢の中から選び補充する

問題数 5問

目標時間 5分程度。1問を1分で解くイメージ

傾向 問題は①「親子(家族)の会話」②「店(職場)・街角での会話」③「友人との会話」など

対策 会話独特の表現の知識が必要な難問もあるが，基本的には自然な話の流れをつかめれば全問正解も可能なので，1文ずつ落ち着いて訳す

テクニック❶ 会話は最初から順にしっかり読む！

会話にぴったり合う文を選ぶには，１つの会話には２人しか登場しないことをふまえ，**会話の流れをしっかりつかむ**ことが大切です。Part １「語句空所補充」や Part ３，４の長文問題のような難しい単語や熟語はあまり出ません。正解は比較的簡単に得られるので，確実に点数を取るよう，落ち着いて解答しましょう。

テクニック❷ 空所の後ろ(相手の返答)に正解のヒントあり！

当然ながら『会話』とは言葉のキャッチボールです。「適切な会話文を選ぶ」のですから，**もう一方の人の受け応えに「正解のヒント」がある**わけです。テクニック❶「会話は最初から順にしっかり読む」ことも大切ですが，「空所の後ろ」には，たいてい正解のヒントがあります。

〈例題〉

A: Why don’t we go to that restaurant?

B: Sounds good. (　　)

A: Just a little. But the daily lunch is not expensive.

1. But I don’t want to eat pizza.　　**2.** Are the prices high?

3. Will you take me there?　　**4.** What do you want to eat?

この問題では，空所の前だけ見ても４つの選択肢から正解を選べません。しかし空所の後ろで **A** が価格について話していることから，選択肢 **2**「値段は高いの？」が正解と判断できます。

例題の訳は次のとおりです。

〈対話〉

A：あのレストランに行かない？

B：いいね。（**2. 値段は高いの？**）

A：少しだけね。でも日々のランチはそんなに高くないよ。

〈その他の選択肢〉

1. でも，ピザは食べたくないんだ。

3. そこに連れていってくれる？

4. 何を食べたいの？

店（職場）・街角での会話

テクニック❸ 会話独自の表現を覚えよう！

店・職場あるいは街角での会話では

●電話での会話

●店員と客の会話

●上司・部下や同僚との会話

などで「会話独自の表現の知識」が求められることがあります。

例えば店で

Could you help me find a good camera?

「(自分に)適したカメラを見つけるのを手伝ってもらえませんか？」

と言うときの Could you ～？は，Would you ～？などとともに，会話で頻繁に使われる「丁寧な依頼の表現」です。

そのほか，リスニングでも頻出の「電話で伝言を頼む」「道をたずねる」なども多いので，定型文として覚えてしまうのが効果的です。

重要な表現は，別冊「頻出会話表現」もぜひ活用して，できるだけ多くの会話表現を覚えましょう。

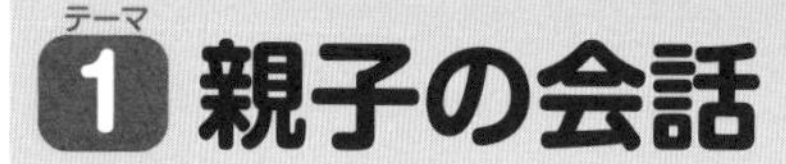

テーマ 1 親子の会話

次の会話文を完成させるために，(　　)に入るものとして最も適切なものを 1，2，3，4 の中から一つ選びなさい。

(1) **A**：What would you like to eat for lunch, Kate?
B：I want to eat spaghetti, Mom.
A：(　　). I'll start cooking.
B：OK. I will help you cook.

1. It's not good for your health
2. I don't think so
3. That's a good idea
4. I'm too busy to cook

(2) **A**：Jessica, can you go to buy some vegetables, please?
B：All right. I'll go after I finish my homework.
A：(　　)
B：Well, then I will go right away.

1. But I need them right now to start cooking.
2. I have enough time to make dinner.
3. Some vegetables are expensive these days.
4. Recently you have a lot of homework, don't you?

(3) **A**：Hi Dad. It's really hot today, isn't it?
B：Yes. (　　).
A：Oh, me too. How about going there after lunch?
B：Sounds good. I will rent a car.

1. Many people would stay at home during the day
2. But maybe it will be rainy tomorrow
3. I want to drink something cold
4. I feel like going to the beach

会話の頻出表現を覚えよう！

前後の文の意味を理解しないと正解は導けない！

解答と解説

(1) 訳 **A：お昼に何が食べたい，ケイト？**
B：スパゲッティが食べたいわ，ママ。
A：それはいい考えね。**料理を始めるわ。**
B：了解。作るのを手伝うわ。

正解 **3**

解説「スパゲッティを食べたい」と言われ，母が「料理を始めるわ」と言っているので，娘の意見に同意していると考える。
1.「それは健康によくないわ」 2.「そうは思わないわ」 4.「忙しすぎて料理できないわ」。

(2) 訳 **A：ジェシカ，野菜を買ってきてくれない？**
B：分かった。宿題を終えたら行くわ。
A：でも，料理を始めるのに今必要なのよ。
B：ああ，それならすぐに行くわ。

正解 **1**

解説 買い物を頼まれたジェシカは最初，「宿題を終えたら」行くと答えたが，2番目の母の発言を受けて，「すぐに」行くと変わっている。よって母は，早く買い物に行ってほしいと言っていることが分かる。Can you ～, please?「～してくれませんか」。expensive「高価な」。
2.「夕飯を作る時間はたっぷりあるわ」 3.「いくつかの野菜はこのごろ高いわ」 4.「最近たくさん宿題があるわね」。

(3) 訳 **A：やあ，お父さん。今日は本当に暑いね。**
B：そうだな。海に行きたいよ。
A：ああ，ぼくもだよ。お昼食べたら行かない？
B：それはいいね。車を借りてくるよ。

正解 **4**

解説 父の言葉に対して息子が同意したあと，父は「車を借りる」と言っていることから，「暑い日にどこかに出かける話」になっていることが分かる。How about *do*ing ～?「～しませんか」。Sounds good.「それはいいね」。
1.「多くの人は日中家にいるだろう」（during the day「**日中**」） **2.「でも，たぶん明日は雨だろう」 3.「何か冷たいものが飲みたい」。**

Part 2 会話文の文空所補充

テーマ 2 店・街角での会話

次の会話文を完成させるために，(　　)に入るものとして最も適切なものを 1，2，3，4 の中から一つ選びなさい。

(1) **A**：Excuse me, do you work here?

B：Yes, madam. How can I help you?

A：Can you tell me (　　)?

B：It's 200 dollars.

1. how long it takes from here
2. how many hats you have
3. how your manager is doing
4. how much this bag is

(2) **A**：Excuse me, do you know where this bus goes?

B：It goes to the city hall.

A：I want to go to the Central Museum. (**I**)?

B：Yes, and in fact I'm going there, too.

A：Wow! I'm glad to hear that. By the way, how much does it cost to enter the museum?

B：I'm not sure. How about calling to ask?

A：Sounds like a good idea. (**II**).

B：I know it. So I will call for both of us.

I.
1. Do you know any place to do it
2. Does this bus stop there
3. Do you have any idea about the reason
4. Does this bus go to the city hall

II.
1. I would like to do it
2. I can understand how you feel
3. But I don't know the number
4. But I don't know the place

空所に入るのが質問文か，その回答かのどちらかの場合は，何を聞いているか・答えているかに注目！

店頭での，(1)のような会話は超頻出！
選択肢以外の表現も覚えておこう。

解答と解説

(1) 訳 A：すみません。こちらで働いている方ですか？ 正解 **4**

B：はい，お客様。何かお探しですか？

A：このかばんがいくらか教えてくださいますか。

B：200ドルになります。

解説 最後に **B** が「200 ドルです」と金額を答えていることから，**A** は何かの値段をたずねていることが分かる。

1.「ここからどのくらい時間がかかるか」 2.「ここに帽子がいくつあるか」 3.「マネージャーはどうしているか」。

(2) 訳 A：すみません。このバスがどこに行くかご存じですか？ I. 正解 **2** II. 正解 **3**

B：市役所行きですよ。

A：私は中央博物館に行きたいのです。このバスはそこに止まりますか？

B：ええ，実際私もそこに行くところです。

A：わあ！ それを聞いてうれしいです。ところで，博物館の入場料をご存じですか？

B：分かりません。電話して聞いてみてはどうですか？

A：いい考えですね。でも電話番号を知らないのです。

B：私は知っています。ではお互いのために私が電話しましょう。

解説 I. **A** は中央博物館に行くために質問をしているので，「そこにバスは止まりますか」と聞いていることが分かる。the city hall「市役所」。

1.「それをする場所をどこか知っていますか」 3.「その理由について何か分かりますか」 4.「このバスは市役所に行きますか」。

解説 II.「博物館に電話して聞いてみてはどうですか」という **B** の発言を受けて **A** が「いい考えですね」と言ったあと，**B** が「私は知っています」と答えていることから **A** は番号を知らないと想像できる。Sounds like a good idea.「いい考えですね」。

1.「それをしたいです」 2.「あなたがどう感じているのか分かります」 4.「でも場所を知らないのです」。

Part 2 会話文の文空所補充

テーマ 3 友人との会話

次の会話文を完成させるために，(　　)に入るものとして最も適切なものを 1，2，3，4 の中から一つ選びなさい。

(1) A：Hi, Ted. Have you finished your report?
B：No, not yet. (　　).
A：So you can't come to the party tonight, can you?
B：I'm afraid not.

1. I don't need to finish it tonight
2. I'm afraid it will take at least two more hours
3. But I will finish it in ten minutes
4. It was not so difficult

(2) A：Hi, Brad. Do you have any time to talk with me?
B：Sure, Akira. I have just finished my work.
A：Well, (I)?
B：Good idea. I'll buy you a cup of coffee.
A：To tell the truth, I'm hungry. Don't you want to eat something?
B：Yes, I do. How about some pizza?
A：Sounds good. (II).
B：OK. Let's go there.

I.
1. Why don't you take a short break
2. What's wrong with your work
3. How is your father
4. Where can I buy a present for you

II.
1. I hope you are feeling better now
2. I have a lot to do today
3. I know a good restaurant near here
4. I like hamburgers better than pizza

決まりきった応答でなければ，会話の状況に注目！

会話表現はリスニングにも使える。覚えておこう！

解答と解説

(1) 訳 A：やあテッド。レポート終わった？

B：いいや，まだなんだ。少なくとも，もう２時間かかりそうだ。

A：それだと，今夜のパーティーには来られないね。

B：残念ながらね。

正解 2

解説 A が「パーティーに来られないね」と言っていることから，レポートを終えるのにまだ時間がかかるという答えであることが分かる。

1.「今夜終わらせる必要はないんだ」 3.「でも，10 分以内に終わらせるよ」 4.「それほど難しくはなかった」。

(2) 訳 A：やあブラッド。ちょっと話す時間あるかな？

B：もちろんだよ, アキラ。ちょうど仕事が終わったところだ。

A：よし，ちょっと休まないかい。

B：いい考えだね。コーヒーを一杯おごるよ。

A：実を言うと腹ぺこなんだ。何か食べたくない？

B：そうだね。ピザなんかどう？

A：いいね。近くのいいレストランを知ってるよ。

B：分かった。そこに行こう。

I. 正解 1　II. 正解 3

解説 I. B が「いい考えだね。コーヒーをおごるよ」と言っていることから，A が休憩の提案をしていると考えられる。I'll buy you a cup of coffee.「コーヒーを一杯おごるよ」。

2.「仕事で何かあったの？」 3.「お父さんはどうしてる？」 4.「あなたへの贈り物はどこで買えるかな」。

解説 II. B に「ピザはどう？」と聞かれ，A が答えたあとに B が「そこに行こう」と言っていることから，A が場所を提案していることが分かる。

1.「きみの調子がよくなっているといいんだけど」 2.「今日することがいっぱいあるんだ」 4.「ピザよりハンバーグのほうがいいな」。

攻略テクニック!

Part 3 長文の語句空所補充

POINT

※試験内容などは変わる場合があります

形式	長文の空所に入る語句を4つの選択肢の中から1つ選ぶ
問題数	2問
目標時間	15分程度。1問を約3分で解くイメージ
傾向	大問3は2段落構成（150語程度）の物語文や説明文である
対策	出題は，文の流れに合う句の選択。語彙力に加え文脈を読み取る力が必要

テクニック❶ 単語・熟語の知識を増やす！

「長文の語句空所補充」は Part 1**「短文の語句空所補充」の長文バージョン**といえます。なるべく多くの単語・熟語を覚え語彙力を増強することが大切です。説明文に出てくる難しい専門用語については，たいてい本文中で解説されているので，うろたえず落ち着いて読みましょう。

テクニック❷ 各段落の要点をつかむ！

問題文には，基本的に1つの段落に空所が1つずつあります。各段落の要点をつかむことが，空所前後の文脈を読み取るかぎです。**トピック・センテンス**を見極め，大まかな内容を把握しながら読みましょう。

トピック・センテンスとは，それぞれの**段落のポイントを簡潔に表す一文**のことで，多くの場合，段落の1文目か2文目にあります。

テクニック❸ 空所の前後を手がかりにしよう！

「短文の語句空所補充」同様，空所前後の単語とのつながりが正解を導くヒントになります。文意を完全には理解できない場合，選択肢の語句と空所の前後を見比べて**意味がつながるか，文法・語法的に正しいか**を確認してみましょう。

また，**前後の語句と組み合わせて熟語ができる選択肢**は高確率で正解です。

例えば，... (　　) the detail ... の問題で，選択肢が

1. take part in　**2.** put up with　**3.** make use of　**4.** pay attention to

の場合，空所後の the detail とつながって「細部まで注意を払う」という意味になる pay attention to が正解と考えられます。まず選択肢 **4** に当たりをつけ，ほかの選択肢が入る可能性を確かめながら読みましょう。

テクニック❹　文修飾の副詞から展開を読み取る！

文修飾の副詞とは，Luckily「運よく」，Hopefully「願わくば」のように，文全体にかかる語のことです。文修飾の副詞を選ぶ問題は頻出なので，覚えておきましょう。

この問題では，段落全体の展開を把握する必要があります。単語の意味を覚えるとともに，空所前後の文の論理関係を意識しながら読みましょう。説明文では筆者の意図を考えながら読み進めることも大切です。

文修飾の副詞の選択問題では，逆接や対照など，それまでの内容から**方向転換するような表現**がよく問われます。

テクニック❺　ディスコースマーカーを押さえる！

ディスコースマーカー(談話標識)とは, 文の前後関係を表す語句です。要約や逆接, 例示など，英文の流れを分かりやすく示す**案内標識の役割**を果たし，長文読解の助けとなります。テクニック❹の文修飾の副詞がディスコースマーカーになることもあります。

空所に適するディスコースマーカーを選ぶ問題も頻出なので，代表的な表現を覚えておきましょう。

〈例示〉 for example,　for instance「例えば」
〈追加〉 furthermore「そのうえ」，in addition「加えて」
〈要約〉 in short「つまり」，summing up「要約すると」
〈順接〉 therefore「したがって」，thus「だから」
〈逆接〉 however「しかしながら」，nevertheless「それにもかかわらず」
〈対照〉 in contrast「対照的に」，on the other hand「一方」
〈原因・結果〉 That is because ～.「それは～だからだ」
That is why ～.「そういうわけで～」
as a result「結果として」

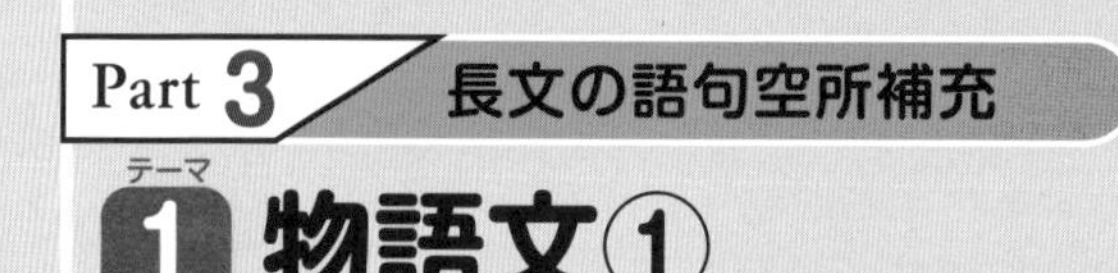

Part 3 長文の語句空所補充

テーマ 1 物語文①
文化

次の英文を読み，その文意にそって(1)と(2)の(　　)に入れるのに最も適切なものを 1，2，3，4 の中から一つ選びなさい。

Learning about your country's culture

Takeshi is in his third year at a university in Japan. He went to the United Kingdom to study English literature in September last year, and returned to Japan in May this year. In short, he had been in the UK for about nine months. (**1**) it was difficult for him to communicate with other students. But after a month or so, he began to understand what they said. He watched TV in English and probably understood 60 percent of what was said.

Now Takeshi is in Japan and (**2**) some British students that he had made friends with in the UK. They are very interested in Japan and Japanese people. Every time they ask a lot of questions about Japanese culture by e-mail, Takeshi realizes how little he knows about his own country. Once one of his British friends asked, "Why do Japanese people bow to each other so often?" Takeshi could not answer properly, so he thinks he has to study and understand Japanese culture more.

□ **(1)** **1.** On purpose　　**2.** At first
3. For instance　　**4.** In addition

□ **(2)** **1.** gets rid of　　**2.** takes the place of
3. looks down on　　**4.** keeps in touch with

物語文は基本的に過去 → 現在 → 未来の順に話が進む。

時の表現(last year)や接続詞(but, so)を手がかりに，流れをつかもう！

解答と解説

(1) 解説 空所を含む第１段落４文は，「ほかの学生たちとコミュニケーションをとることが難しかった」ことへの言及があり，第５文の「しかし，１か月ほどで彼らの言っていることを理解できるようになった」に続いている。第３文の「イギリスに約９か月いた」につながっているので，（１）の部分は **2**. At first「**最初は**」が正解。**1**. On purpose「**わざと**」や **3**. For instance「**例えば**」や **4**. In addition「**加えて**」では文脈に合わない。

正解 **2**

(2) 解説 空所に入るのは，「現在タケシは日本にいて，イギリスで友達になった何人かのイギリス人学生とどうしているのか」を答える部分。**1**. gets rid of「**〜を取り除く**」，**2**. takes the place of「**〜の代わりをする**」，**3**. looks down on「**〜を見下す**」は，いずれも意味がつながらない。**4**. keeps in touch with「(イギリス人の学生たちと)**連絡を取り合っている**」が正解。後の文で，Ｅメールのやり取りをしていることからも導ける。

正解 **4**

訳

自国の文化を学ぶこと

タケシは日本の大学の３年生である。彼は去年の９月，英文学を学ぶためイギリスに行き，今年の５月に日本に帰国した。つまり彼はイギリスに約９か月いたのだ。当初，彼にはほかの学生たちとコミュニケーションをとることが難しかった。しかし，１か月ほどして，彼は彼らの言うことを理解するようになってきた。彼は英語のテレビを見たが，おそらく言っていることの60パーセントは理解できた。

現在，タケシは日本にいて，イギリスで友達になった数人のイギリスの学生と連絡を取り続けている。彼らは日本や日本人にとても興味を持っている。彼らがＥメールで日本の文化についてたくさんの質問をするたびに，タケシは自分がいかに自分自身の国について知らないのかということに気づく。あるとき，イギリス人の友達の一人が「なぜ日本人はそんなにたびたびお互いにお辞儀をするのですか」とたずねた。しかし，タケシは適切に答えることができなかったので，彼はもっと日本の文化を学んで理解しなければならないと考えている。

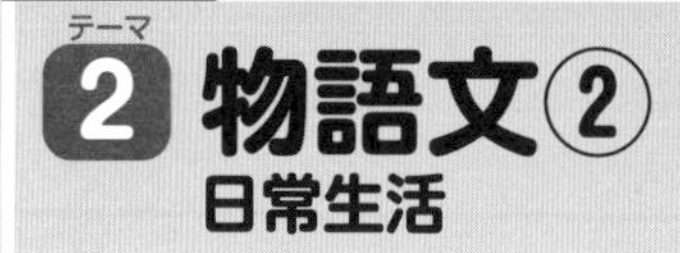

テーマ

2 物語文②

日常生活

学習日
目標時間
1問
3 分
得点
/2
合格点2点

次の英文を読み，その文意にそって(1)と(2)の(　　)に入れるのに最も適切なものを 1，2，3，4 の中から一つ選びなさい。

How to fall asleep easily

John has had a hard time falling asleep these days. Whenever he wants to sleep, he finds himself thinking of what he must do the next day and how he should do it. One night he got an idea. The idea was that if he did not think of anything when he went to bed, there would be (**1**). He tried it immediately. As a result, he found it hard not to think anything.

Today he talked about his anxiety with Edward, his best friend. Edward said, "I also have trouble falling asleep quickly sometimes. In such cases, I try to remember something good that happened that day or the day before. Any good memory from the past is OK. Then, I fall asleep easily and sleep better." John was impressed by Edward's suggestion, so he has decided to (**2**).

□ **(1)** **1.** any friend　　**2.** many dreams
3. no problem　　**4.** some jobs

□ **(2)** **1.** make both ends meet　　**2.** turn it down
3. come from it　　**4.** put it into practice

熟語が空所となることもある。頻出の熟語はしっかり覚えておこう。

分からない語は，前後の文から意味を推測しよう。

解答と解説

(1) 解説 第１段落第２文によると，ジョンが眠れない原因は，「しなければならないことを考えてしまう」ため。そこで彼が考えた解決策が第４文の，「床に就いたときに何も考えなければ(　　)だろう」。文前半は「何も考えない」という手段であり，空所を含む後半はジョンが予想する結果である。**3**. no problem「**問題ない**」を入れると，前後が自然につながる。
1. any friend「(肯定文で)**いかなる友達**」 **2**. many dreams「**たくさんの夢**」 **4**. some jobs「**いくつかの仕事**」。

正解 **3**

(2) 解説 最終文前半と，空所を含む後半「～することに決めた」が so「だから」で接続されている。文前半が「エドワードの提案に感心した」なので，ジョンが「それを実行する」と考えるのが自然。よって，**4**. put it into practice「**それを実行する**」という熟語を選ぶ。**1**. make both ends meet「**なんとか生活する**」 **2**. turn it down「(turn down で)**～を弱める(低くする・断る)**」 **3**. come from it「(come from ～で) **～の出身である**」。

正解 **4**

寝つきをよくする方法

　ジョンは最近寝つきが悪い。眠りたいときはいつも，次の日しなければならないことやそれをどのように行えばよいのかについて考えてしまう自分に気づく。ある夜，彼はある考えを思いついた。その考えとは，床に就くときに何も考えなければ問題はないだろう，というものだった。彼はすぐに試してみた。その結果，何も考えないというのは難しいことだと分かった。
　今日，彼は親友のエドワードに自分の悩みについて相談した。エドワードはこう答えた。「ぼくもすぐに眠れないで悩むことはときどきあるよ。そんなときは，その日か前日に起こった何かいいことを思い出すようにするんだ。過去のいい思い出だったら何でもかまわない。すると簡単に，そしてよく眠れるんだ」 ジョンはエドワードの提案に感心したので，それを実行することに決めた。

テーマ 3 説明文

学習日
目標時間
1問
3 分
得点
2
合格点1点

次の英文を読み，その文意にそって(1)と(2)の(　　)に入れるのに最も適切なものを 1，2，3，4 の中から一つ選びなさい。

A Houseboat

A houseboat is a boat that is designed for people to live in. Some houseboats have an engine or a motor, but others do not since they (**1**) on the water and are usually attached to the land with a rope. These boats usually include a kitchen, bedrooms, a bathroom, and so on. A houseboat is also called a float house.

There are many countries where people live on houseboats. For example, in Australia, there are many two-story houseboats that have an engine. Most of them are (**2**), but some are owned as a private house. In Canada, houseboats are getting popular in some areas such as British Columbia, Ontario, and Quebec. These areas have a lot of rivers and lakes suitable for houseboats. In Europe, high-quality houseboats are seen along the canals of Amsterdam in the Netherlands. There are even houseboat hotels there.

□ **(1)** **1.** should walk　**2.** had better not draw
3. don't have to move　**4.** must float

□ **(2)** **1.** available for rent　**2.** beautiful at first sight
3. sorry to begin with　**4.** necessary in reality

説明文では，タイトルなどに知らない単語が出てきても，たいてい問題文中で説明されている。

othersなどの代名詞が指すものを把握しながら読もう！

解答と解説

(1) 解説 空所部分は，others (=other houseboats) にエンジンやモーターがない理由の説明。エンジンやモーターは水上を移動するためのものなので，移動しないのなら必要ない。よって，don't have to move **「動く必要がない」**が正解。

正解 3

(2) 解説 第２段落第３文にオーストラリアのハウスボートについて，「多くは(　)だが，個人宅として所有されているものもある」とある。したがって，available for rent **「賃貸で利用可能」**が正解。

正解 1

訳

ハウスボート

ハウスボートとは人々がその中で暮らせるように設計されたボートのことだ。エンジンあるいはモーターがついているボートもあるが，ついていないものもある。なぜならそうしたボートは水上を移動する必要がなく，普段はロープで陸につながれているからだ。こうしたボートは普通，台所や寝室，トイレなどがついている。ハウスボートはフロートハウスとも呼ばれる。

ハウスボートに住む人々がいる国は多い。例えば，オーストラリアには，エンジンつきの二階建てハウスボートが多くある。それらの多くは賃貸で利用可能だが，個人宅として所有されているものもある。カナダではハウスボートは，ブリティッシュコロンビア，オンタリオ，ケベックなどのいくつかの地域で人気が高まっている。これらの地域はハウスボートに適した川や湖がたくさんあるのだ。ヨーロッパでは，上質なハウスボートがオランダのアムステルダムの運河ぞいで見られる。そこにはハウスボートのホテルさえある。

攻略テクニック!

Part 4 長文の内容一致選択

POINT

※試験内容などは変わる場合があります

形　式	長文を読み，その内容に関する質問の答えを4つの選択肢の中から選ぶ
問題数	7問
目標時間	20分程度。1問を約3分で解くイメージ
傾　向	大問4Aは3段落構成（200語程度）のEメール文，4Bは3～4段落構成（300語程度）の説明文となる
対　策	語彙力に加え，段落および全体の話の展開をつかむ力が必要

Eメール

テクニック❶ ヘッダーから情報を読み取る！

Eメールのヘッダー（本文の前の部分）には，**差出人**，**受取人**，**送信日時**，**件名**などの情報がつまっています。これらの情報は本文読解の手がかりとなるので，最初に確認しましょう。

とくに件名(メールの用件)は，本文のテーマになっていることが多いので，必ず見ておきましょう。

テクニック❷ 差出人と受取人の関係をつかもう！

ヘッダーを確認したら，最初の段落を読み，差出人と受取人の関係をつかみましょう。準2級の問題では日常生活に即した，友人や知人，家族，親類宛のEメール文が多く出てきます。

テクニック❸ 本文中の日時に注意！

パーティーへの招待や，いっしょに会う約束を取りつけるメール文では，日時を問う質問文がよく出題されます。**本文中の日付や，時刻が出てきたら注意**しておきましょう。また，tomorrow や yesterday など，メール送信時を基準にした日時の表現が出てきたときは，ヘッダー部分の送信日時を確認しましょう。

説明文

テクニック❹　質問文を先に読む！

長文を読む前に，**質問文と選択肢を先に読んでおきましょう。**質問文から大体の内容を予測し，重要なポイントを念頭に置いて読むと，長文を効率よく読解できます。

質問文の形式には，疑問文の答えの選択と，文を完成させるのに適切な語句の選択の２種類があります。例えばSome experts say thatに続く語句を選択する問題の場合，「専門家が何と言っているか」に注目しながら長文を読めば，内容を理解すると同時に答えを見つけられます。

テクニック❺　長文と選択肢の語句の言い換えに注意！

長文の語句が，選択肢では同じ意味を表す**別の語句に言い換えられている場合**があります。単語を覚えるときは，ふだんから同意表現や反意表現も合わせて覚えることを意識しましょう。

言い換え表現の，おもなパターンと具体例は次のとおりです。しっかりと押さえ，本番の試験で惑わされないよう注意しましょう。

〈同意表現〉

・go to school on foot「徒歩で学校へ行く」→ walk to school「学校まで歩く」
・be pleased at ～「～に喜ぶ」→ be delighted at ～「～に喜ぶ」
・begin to discuss「討議し始める」→ start an argument「議論を始める」

〈具体化〉

・mammals「哺乳類」→ cats and dogs「猫や犬」
・a bag for shopping「買い物のためのかばん」→ a shopping bag「買い物袋」
・a room for sleeping in「眠るための部屋」→ a bedroom「寝室」

〈抽象化〉

・baseball and soccer「野球やサッカー」→ ball game「球技」
・a piano and a guitar「ピアノやギター」→ musical instruments「楽器」
・France, Germany and Spain「フランス，ドイツ，そしてスペイン」
　→ some European countries「ヨーロッパのいくつかの国」

Part 4 長文の内容一致選択

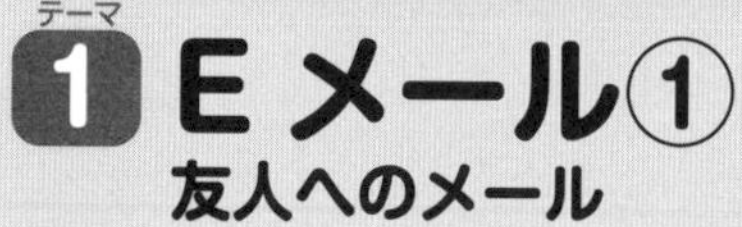

テーマ
1 Eメール①
友人へのメール

学習日
目標時間
1問
3分
得点
/3
合格点2点

次の英文の内容に関して，(1)から(3)までの質問に対して最も適切なもの，または文を完成させるのに最も適切なものを 1，2，3，4 の中から一つ選びなさい。

From: Karen Wilson 〈karenwilson@pearlclub.com〉
To: Mariko Sasaki 〈mari-sasaki@quickmail.com〉
Date: June 30
Subject: Trip to Japan

Dear Mariko,

It's very hot here in Miami, Florida. In addition, we have had very little rain this month. Thank you for the e-mail recommending some places I should visit in Tokyo. You said in your e-mail that Kappabashi is the best place for me. I'm sure I'll go there because I'm very interested in Japanese kitchen knives. As you know, I like cooking Japanese food. I hear that Japanese knives are not only beautiful, but also sharp and cut very well. I'm looking forward to seeing them.

By the way, I intended to go straight to Tokyo at first. However, I had forgotten one important thing... the bullet train! Riding a bullet train has been one of my dreams. So, can I stay at your house in Osaka for one night? I'll go to Osaka first, and then go to Tokyo by bullet train. If possible, could you go to Tokyo with me? Of course I can go to Kappabashi in Tokyo by myself, but I don't understand Japanese well. With your help, I'll be able to understand the shop clerks' explanations about knives and other items very well.

I'm sorry to ask so much of you, but I promise I'll help you as much as possible when you come to the United States! I hope you will be able to go with me.

Love,
Karen

英検では，友人へのメールの後半は旅行やパーティーに誘う文であることが多い。

依頼・勧誘の表現やその前後の文に注意して読もう。質問文で問われることが多い。

(1) In June,

1. it was very hot in Tokyo.
2. there was a lot of rain in Florida.
3. it rained very little in Miami, Florida.
4. it didn't rain in Tokyo.

(2) Why does Karen want to visit Osaka first?

1. Tokyo is too crowded for a foreigner.
2. She can stay at Mariko's house for a week.
3. She wants to ride a bullet train.
4. It is one of her dreams to go to Osaka.

(3) What is one thing that Karen asks Mariko to do?

1. Come to the United States.
2. Go to Kappabashi in Tokyo with Karen.
3. Guide her around the United States.
4. Buy Japanese knives and other items for Karen.

解答と解説

(1) 質問訳 **6月は……** 正解 **3**

選択肢訳 **1. 東京はとても暑かった。**
2. フロリダではたくさんの雨が降った。
3. フロリダ州のマイアミでは雨がほとんど降らなかった。
4. 東京では雨が降らなかった。

解説 天候については第1，2文に「フロリダのマイアミはとても暑い」「今月はほとんど雨が降らなかった」とある。また，メールの送信日が6月30日なので，第2文の this month は6月を指すことが分かる。したがって，選択肢 **3** が正解。

(2) 質問訳 **カレンはなぜ最初に大阪に行きたいのですか。** 正解 **3**

選択肢訳 **1. 東京は外国人にとっては混雑しすぎている。**
2. マリコの家に1週間滞在することができる。
3. 彼女は新幹線に乗りたい。
4. 大阪に行くことは彼女の夢の一つである。

解説 カレンが「最初に大阪に行く」と言っているのは第2段落第5文。その理由については第2段落第1～4文に書かれている。最初は東京に直行しようと思っていたカレンがまず大阪を訪ねることにしたのは，「新幹線(bullet train)に乗る」ため。よって，選択肢 **3** が正解。第4文でカレンは，大阪に住むマリコ(＝メールの受取人)に，家に泊めてくれるよう頼んでいるが，これは一晩(for one night)なので，選択肢 **2** は誤り。

(3) 質問訳 **カレンがマリコに頼んでいることの一つは何ですか。** 正解 **2**

選択肢訳 **1. アメリカ合衆国に来る。**
2. カレンといっしょに東京の合羽橋(かっぱばし)に行く。
3. カレンにアメリカ案内をする。
4. カレンに日本の包丁などを買う。

解説 Can I ～? や Could you ～? など，依頼の表現にとくに注意して読むと，第2段落にカレンからマリコへの頼み事が2つあることが分かる。その2つとは，①「大阪のマリコの家に泊めてくれること」（第4文），②「東京へいっしょに行くこと」（第6文）。日本語があまり分からないカレンは，店員の説明を理解するために，マリコに助けてほしいと言っている。よって②と一致する選択肢 **2** が正解。第6文の if possible は「できれば，可能ならば」の意味。

送信者：カレン・ウィルソン〈karenwilson@pearlclub.com〉
受信者：マリコ・ササキ〈mari-sasaki@quickmail.com〉
日付：6月30日
件名：日本への旅行

マリコへ
ここフロリダ州マイアミはとても暑いです。しかも今月はほとんど雨が降っていません。メールで，東京で私が訪れるのによい場所をいくつか薦めてくれてありがとう。メールの中であなたは合羽橋が私にとって一番適した場所だと言っていましたね。私はきっとそこへ行きます。というのも，日本の包丁に私はとても興味があるのです。あなたも知っているように，私は日本料理を作るのが好きです。日本の包丁は美しいだけでなく，鋭くてよく切れると聞いています。それを見るのが楽しみです。
ところで，私は当初，東京に直行しようと思っていました。しかし，一つ重要なことを忘れていたのです…新幹線を！　新幹線に乗ることは私の夢の一つでした。そこで，一晩，大阪のあなたの家に泊めてくれませんか。まず大阪に行って，それから新幹線で東京へ行くつもりです。もしできれば，私といっしょに東京へ行ってくれませんか。もちろん私は一人で東京の合羽橋に行くことはできますが，日本語がよく理解できないのです。あなたの助けがあれば，包丁やその他の品物についての店員さんの説明をとてもよく理解できると思います。
いろいろとお願いしてしまってごめんなさい，でもあなたがアメリカに来るときにはできる限り力になると約束します。あなたがいっしょに行ってくれることを願っています。
それでは。
カレン

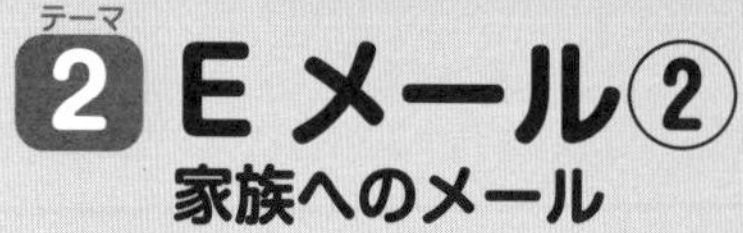

テーマ 2 Eメール②
家族へのメール

学習日
目標時間
1問
3 分
得点
3
合格点2点

次の英文の内容に関して，(1)から(3)までの質問に対して最も適切なもの，または文を完成させるのに最も適切なものを 1，2，3，4 の中から一つ選びなさい。

From: Catherine Lewis 〈catherine-l@e-marine.net.com〉
To: Tom Lewis 〈tom-l@starmail.com〉
Date: November 28
Subject: repair charge

....

Dear Tom,
Thank you for your e-mail. I hope things are going well at your university. I'm glad to know that your dormitory life is comfortable. It sounds like a couple of your classes are pretty hard, but your father and I believe in you and are sure you will do well if you don't put off studying until the night before your tests!
Your father and I discussed your request for extra money this month. The monthly allowance* of $300 we send you is usually enough, but your computer repairs were an unexpected expense. We know that things like this happen every now and then, and the bill was higher than you had expected. We will put a check for $100 in the mail right away to help you pay the bill. Hopefully nothing else will go wrong with your computer.
We are looking forward to having you home over the holidays, as usual, around Christmas. By the way, if you come across a nice gift for your father at the school gift shop (a polo shirt, for instance), can you get it for him? He doesn't have anything with your university logo on it yet. I'm sure he would prefer that to a necktie or a novel. Take care and keep in touch.
Love,
Mom

*monthly allowance：(月々の)仕送り

家族からのメールの場合，署名や冒頭の呼びかけから，受取人と差出人との間柄をつかめる。

内容は日常生活に即したものがほとんど。

(1) Why is Catherine Lewis glad?

1. Tom believes in his parents.
2. Tom is enjoying his life in the university dormitory.
3. Tom has no problem with his classes.
4. Tom always studies on the night before the test.

(2) What is one thing that we learn about Tom Lewis?

1. He needs more money this month because his computer was broken.
2. He usually gets $100 from his parents each month.
3. He wants to buy a new computer.
4. He thinks the computer repair will only cost a little.

(3) Catherine asks Tom to

1. buy a Christmas gift for her.
2. bring an interesting novel home during the holidays.
3. select a nice necktie at the university's gift shop.
4. buy something that has his university logo for his father.

解答と解説

(1) 質問訳 **なぜキャサリン・ルイスは喜んでいるのですか。**

正解 **2**

選択肢訳 **1.** **トムが両親のことを信じているから。**
2. **トムが大学の寮での生活を楽しんでいるから。**
3. **トムは授業について何の問題もないから。**
4. **トムはいつもテストの前夜に勉強するから。**

解説 第1段落第3文でキャサリンはI'm glad to know that ...「…と知ってうれしい」と言っているので，あとに続くyour dormitory life is comfortableが答えに当たる部分。life is comfortableをenjoying his lifeと言い換えた選択肢**2**が正解。

(2) 質問訳 **トム・ルイスについて分かることの一つは何ですか。**

選択肢訳 **1.** **コンピューターが壊れたため，今月，彼はより多くのお金を必要としている。**
2. **彼は通常，毎月両親から100ドルもらっている。**
3. **彼は新しいコンピューターを買いたがっている。**
4. **彼は，コンピューターの修理代はほとんどかからないと考えている。**

解説 第2段落第1文のrequest for extra moneyは，トムがすでにもらっているお金とは別に，追加の(extra)お金を必要としていることを示す。その理由は，第2文後半より，コンピューター修理のために臨時の出費(unexpected expense)があったからと分かる。「修理が必要」ということは，「コンピューターが壊れた」と言い換えられるので，選択肢**1**が正解。同文前半に，両親からの仕送りは月々300ドルとあるので，選択肢**2**は誤り。

(3) 質問訳 **キャサリンがトムにお願いしているのは**

選択肢訳 **1.** **彼女にクリスマスの贈り物を買うこと。**
2. **休日の間に実家におもしろい小説を持ってくること。**
3. **大学の売店ですてきなネクタイを選ぶこと。**
4. **父親に，大学のロゴがついたものを買うこと。**

解説 第3段落第2文にcan you get <u>it</u> for him?という依頼の表現があるので，その前後に注意して読む。itは直前の，大学の売店にある贈り物を指す。大学の売店の品物がよい理由は，第3～4文に「あなた(トム)の大学のロゴ入りのものを気に入るだろう」と説明されている。この内容に合致する選択肢**4**が正解。その他の選択肢にも，長文の中で使われていた言葉が出てくるので，内容をよく読み，惑わされずに解答しよう。

送信者：キャサリン・ルイス〈catherine-l@e-marine.net.com〉
受信者：トム・ルイス〈tom-l@starmail.com〉
日付：11月28日
件名：修理費

- -

トムへ
メールをありがとう。学校では万事うまくいっていることと思います。あなたの寮生活が快適だと知って喜んでいます。かなり難しい授業が2，3あるようですが，あなたのお父さんと私はあなたを信じていますし，テストの前夜まで勉強を先延ばしにしなければ，あなたはうまくやっていけると確信しています。
お父さんと私はあなたが要求してきた今月の追加のお金について話し合いました。あなたに送っている毎月の仕送り300ドルは，通常なら十分ですが，コンピューターの修理代は思いがけない出費でしたね。こうしたことはときどき起こるものだということ，そしてその請求額が，あなたが予想していたよりも高かったことも，私たちは分かっています。あなたの支払いの助けになるように，すぐに手紙に100ドルの小切手を入れて送ります。あなたのコンピューターに，ほかに具合の悪いところが出てこないことを願っています。
クリスマスのころ，いつものように，休日にあなたが家に帰って来るのを楽しみにしています。ところで，大学の売店でお父さん用のすてきな贈り物(例えばポロシャツなど)が見つかったら，彼に買ってきてくれませんか。お父さんはあなたの大学のロゴが入ったものをまだ何も持っていません。きっとお父さんはネクタイや小説よりもそういったもののほうが気に入ると思います。体に気をつけて，また連絡してください。
愛をこめて
母より

Part 4 長文の内容一致選択

テーマ 3

説明文①

健康・医療

学習日	目標時間	得点
/	1問 3分	/4 合格点3点

次の英文の内容に関して，(1)から(4)までの質問に対して最も適切なもの，または文を完成させるのに最も適切なものを 1，2，3，4 の中から一つ選びなさい。

Blood Test without Pain

In 2008, Myshkin Ingawale started an Indian medical technology company called Biosense Technologies with his doctor and engineer friends. However, he didn't know much about medical technology at that time, since he had studied electronics and management information systems in college.

When he visited an Indian village, Parol, in 2009, he had a shocking experience. He went there to meet his friend, Abhishek, who was a doctor in the village. When Myshkin visited him, the doctor was busy delivering* a baby. After he waited for a long time, his friend appeared with a pale face. Abhishek said both the mother and the baby had died because of anemia.* This meant that the woman died since she had not taken a blood test.

Anemia is not normally something that causes death. Even poor people can be cured if they take some medicine. But before that, they have to know that they are suffering from anemia. Myshkin's mother is a doctor, so he asked her how to test for anemia. She told him that doctors have to take a blood sample and run it through a machine that costs as much as $10,000. There was no such machine and no one who could use the machine in the village of Parol. So Myshkin Ingawale decided to make a machine that could test people's blood easily, without giving an injection.* The machine had to be easy to operate because in many parts of India health care is done by nurses, not by doctors.

The machine Myshkin built is called the ToucHB Quick. It's about the same size as adult hand. If you put it on your finger, switch on, and wait just 20 seconds, it can measure not only the amount of hemoglobin* and oxygen* in your blood but also your heart rate. The machine will help nurses and doctors around the world to perform anemia tests.

*deliver：(赤ん坊)を取り上げる　*anemia：貧血(症)　*injection：注射　*hemoglobin：ヘモグロビン
*oxygen：酸素

説明文は「問題点」→「対策」の流れになることが多い。それを念頭に置きながら文章の大筋をつかもう。

別冊(p.68 ~)などで長文のテーマに関連する単語を覚えておこう。

(1) In 2008, Myshkin Ingawale

1. began to work for a company as an employee.
2. knew a lot about medical technology.
3. set up a medical technology company with his friends.
4. employed his doctor and engineer friends.

(2) What happened in Parol in 2009?

1. Myshkin visited his friend to take a blood test.
2. A mother and her baby died due to anemia.
3. Myshkin's friend was so busy that his face became pale.
4. Myshkin had a traffic accident.

(3) What kind of machine did Myshkin decide to build?

1. A machine that nurses could use easily to do a blood test.
2. A machine that rich people in India could use.
3. A machine that could give an injection.
4. A machine that could measure people's height and weight.

(4) What is one thing that we learn about the TouchHB Quick?

1. It is much larger than an adult hand.
2. It can only measure the amount of hemoglobin and oxygen.
3. It doesn't take a long time to find results.
4. You have to cut your finger a little when you use it.

解答と解説

(1) 質問訳 **2008年に，ミシュキン・インガワーレは**

正解 3

選択肢訳
1. 従業員として会社で働き始めた。
2. 医療技術について多くのことを知っていた。
3. 医療技術の会社を友人と立ち上げた。
4. 医師やエンジニアをしている彼の友人たちを雇った。

解説 出だしが問題文と一致する第1段落第1文に注目。started ... medical technology company の start には「(事業・会社)を立ち上げる，設立する」という意味がある。これを set up と言い換えた選択肢 **3** が正解。

(2) 質問訳 **2009年にパロル村で何が起こりましたか。**

選択肢訳
1. ミシュキンは血液検査を受けるため友人を訪ねた。
2. ある母親と赤ん坊が貧血で亡くなった。
3. ミシュキンの友人はとても忙しかったので，顔色が悪くなった。
4. ミシュキンは交通事故に遭った。

解説 第2段落第1文に he had a shocking experience「ショッキングな経験をした」とあり，その内容が第2～5文に書かれている。出来事の中心は第5文の both the mother and the baby had died because of anemia「母親と赤ん坊は両方とも貧血のため，亡くなった」である。したがって選択肢 **2** が正解。

(3) 質問訳 **ミシュキンはどんな種類の機械を作ることを決めましたか。**

選択肢訳
1. 看護師が簡単に血液検査をすることができる機械。
2. インドの裕福な人々が使う機械。
3. 注射を打つことのできる機械。
4. 人々の身長や体重を計測することのできる機械。

解説 第3段落第7～8文にミシュキンが作ろうと決めた機械の説明がある。注射を打つ必要がなく(without ... an injection)，看護師でも簡単に検査ができる機械である。この内容を表している選択肢 **1** が正解。

(4) 質問訳 **タッチビー・クイックについて分かることの一つは何ですか。**

選択肢訳
1. それは成人の手よりもずっと大きい。
2. それはヘモグロビンと酸素の量しか測れない。
3. それは結果を得るのに長い時間がかからない。
4. それを使うとき指を少し切る必要がある。

解説 第4段落第3文に「機械を指の上に置き…たった20秒間待てば，血液中のヘモグロビンや酸素の量だけでなく，心拍数も測ることができる」とあり，選択肢 **3** が下線部の内容と一致する。

訳

痛みのない血液検査

2008年，ミシュキン・インガワーレはバイオセンス・テクノロジーズというインドの医療技術の会社を，医師やエンジニアの友人たちとともに立ち上げた。しかしその当時彼は，医療技術についてあまり知らなかった。というのも，彼は大学で電子工学や経営情報システムを学んでいたからだ。

彼が2009年にインドの村，パロルを訪れたとき，衝撃的な経験をした。彼はその村で医師をしている友人のアビシェークに会うためにそこへ行った。ミシュキンが彼を訪ねたとき，その医師は赤ん坊を取り上げるのに忙しかった。長い時間待った後，友人が青白い顔をして姿を現した。アビシェークは，母親と赤ん坊の両方とも貧血のために亡くなったと語った。このことは，その女性が血液検査を受けていなかったために亡くなったということを意味していた。

貧血は通常であれば死を引き起こすようなものではない。貧しい人々でさえ，いくらか薬を飲めば治る可能性がある。しかしその前に，自分が貧血症であることを知らなければならないのだ。ミシュキンの母親は医師である。だから，彼は母親に，貧血であるかどうかを検査する方法を聞いた。母親は，医師が血液を採取し，その血液を値段が1万ドルもする機器にかけなければならない，と彼に伝えた。そしてパロル村にはそのような機器もなければそのような機器を使うことのできる者もいなかったのだ。そこで，ミシュキン・インガワーレは注射することなく，人々の血液を簡単に検査することができる機械を作ることにした。その機械は簡単に操作できるものでなければならなかった。なぜなら，インドの多くの地域では医療は医師ではなく，看護師によって行われているからだ。

ミシュキンが作った機械はタッチビー・クイック(TouchHB Quick)と呼ばれている。それはだいたい成人の手ほどの大きさである。その機械を指の上に置き，スイッチを入れ，たった20秒待てば，その機械が血液中のヘモグロビンと酸素の量だけでなく，心拍数まで測ってくれるのだ。その機械は世界中の看護師や医師が貧血検査を行う助けとなるだろう。

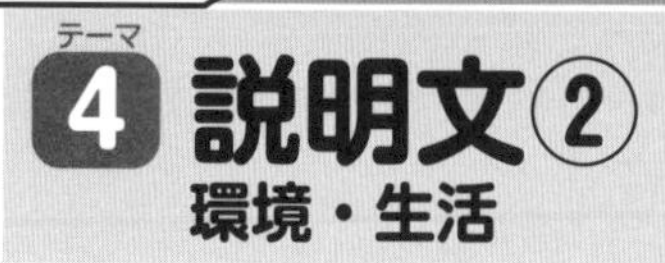

Part 4 長文の語句空所補充

テーマ 4 説明文② 環境・生活

次の英文の内容に関して，(1)から(4)までの質問に対して最も適切なもの，または文を完成させるのに最も適切なものを 1，2，3，4 の中から一つ選びなさい。

Bike Sharing System

If more people used bikes instead of cars, the environment would get better, for air pollution and global warming would be reduced. From the environmental point of view, a bike sharing system has been getting more attention around the world. With this system, bikes are available to individuals for shared use. A user doesn't have to return a bike to the place where he or she starts. You can return the bike to any bike station operated by the bike sharing system.

The first bike sharing program in the world was started in Amsterdam, the Netherlands in 1965. However, the program failed because most of the bikes were stolen. Today many bike sharing programs paint their bikes a bright color, such as yellow or white, to prevent users from stealing.

Grand Lyon in France is one of the areas that eagerly carries out bike sharing systems for environment. The system is called Velo'v, in which bikes are available for 24 hours. It started in 2005 and has been increasing users since then. Following the Velo'v, the Vélib' has started in Paris in 2007. The Vélib' is a system similar to the Velo'v. Having around 20,000 bikes and 1,500 stations, it is the third largest system in the world.

In Japan, some people are trying to introduce a bike sharing system. It is hoped that this kind of system will ease traffic jams. That is good both for people and the earth. In addition, it is a good way to reduce illegally-parked bicycles. However, Japan has various forms of convenient public transportation such as railways and subways. Therefore it is uncertain whether a bike sharing system will be successful or not. Some experts are studying the successful cases such as Vélib'.

環境問題などについての基本的な知識があれば，それらをテーマとした長文が読み取りやすくなる。

大気汚染やエネルギー問題などについての説明文がよく出題される。

(1) A bike sharing system is good for the environment because

1. a user doesn't have to return a bike.
2. it will accelerate global warming.
3. it might prevent air pollution.
4. it will increase the number of cars in the world.

(2) Why are bikes painted a bright color in many bike sharing programs?

1. People in Amsterdam think bright colors are beautiful.
2. Bikes of bright colors are supposed to be hard to steal.
3. Bright-colored bikes are safer to ride.
4. Most bike users around the world like yellow or white.

(3) The Velo'v in Grand Lyon

1. was quite different from Vélib' in every way.
2. is the third largest system in the world.
3. is not so popular today although it started successfully.
4. was followed by the system in Paris two years later.

(4) What is one reason that a bike sharing system might not be very popular in Japan?

1. There are various forms of public transportation in Japan.
2. It will decrease the number of illegally-parked bikes.
3. Some experts in Japan think it might damage the environment.
4. It will cause serious bike traffic jams.

解答と解説

(1) 質問訳 **自転車シェアリングシステムは環境によい，なぜなら……**

正解 **3**

選択肢訳
1. 利用者は自転車を戻さなくてよいからである。
2. 地球温暖化に拍車をかけるからである。
3. 大気汚染を防ぐかもしれないからである。
4. 世界の自動車台数を増やすからである。

解説 第１段落第１文の the environment would get better に注目。この直後の接続詞 for「というのも」以降で，その理由が述べられている。air pollution ... will be reduced を prevent air pollution と言い換えた選択肢 **3** が正解。

(2) 質問訳 **多くの自転車シェアリングプログラムで自転車が明るい色に塗られるのはなぜですか。**

選択肢訳
1. アムステルダムの人々は明るい色が美しいと考えている。
2. 明るい色の自転車は盗みにくいと考えられている。
3. 明るい色の自転車に乗る方が安全である。
4. 世界の自転車利用者は大半が黄色か白が好きである。

解説 自転車が明るい色に塗られることが書かれているのは第２段落最終文。文末の to prevent ... がその目的である。これと内容が一致する選択肢 **2** が正解。

(3) 質問訳 **グランリヨンのベロブは……**

正解 **4**

選択肢訳
1. ベリブとはあらゆる点でまったく異なっていた。
2. 世界で３番目に大きいシステムである。
3. はじめは成功していたが今日ではあまり人気がない。
4. ２年後，パリのシステムがあとに続いた。

解説 「ベロブ — グランリヨン」「ベリブ — パリ」の区別に注意。第３段落第３文に，ベロブは 2005 年に始まったとある。第４文には，ベリブが 2007 年，つまりベロブに２年遅れて始まったことが述べられている。選択肢 **4** が正解。

(4) 質問訳 **日本で自転車シェアリングシステムの人気があまり出ないかもしれない理由の一つは何ですか。**

選択肢訳
1. 日本にはさまざまな公共交通機関がある。
2. それは違法駐輪の自転車の数を減らす。
3. それが環境を破壊するかもしれないと考える日本の専門家がいる。
4. それは深刻な自転車の交通渋滞を引き起こす。

解説 第４段落第６文 Therefore「そのため」のあとに質問文の内容が続いているので，その理由は直前の第５文に書かれている。Japan has various ... public transportation と同じ内容を表す選択肢 **1** が正解。

訳

自転車シェアリング

もしもより多くの人々が自動車の代わりに自転車を使うようになれば，環境はよりよくなるだろう。というのも，大気汚染や地球温暖化が減るからだ。環境的な観点から，自転車シェアリングシステムは世界中で注目を集めている。このシステムでは，個人が自転車を共有して利用可能である。利用者は，使い始めた場所に自転車を返す必要はない。自転車シェアリングシステムに運営管理されているステーションならどこに返してもよいのだ。

世界で最初の自転車シェアリング・プログラムは 1965 年にオランダのアムステルダムで始まった。しかし，自転車の大半が盗まれてしまったため，そのプログラムは失敗した。今日，多くの自転車シェアリングプログラムは，利用者による盗難を防ぐために，黄色や白などの明るい色で自転車を塗装している。

フランスのグランリヨンは，環境のために熱心に自転車シェアリングシステムを導入している地域の一つだ。そのシステムはベロブと呼ばれ，自転車は 24 時間利用可能である。ベロブは 2005 年に始まり，それ以来利用者を増やし続けている。ベロブに続いて，2007 年，パリでベリブが始まった。ベリブはベロブと似たシステムである。約 20,000 台の自転車と 1,500 か所のステーションを有しており，それは世界で 3 番目に大きなシステムである。

日本でも，自転車シェアリングシステムを取り入れようとしている人々がいる。この種のシステムは交通渋滞を緩和するだろうと期待されているのだ。それは人間にとっても地球にとってもよいことである。加えて，放置自転車を減らすよい方法でもある。しかしながら日本には，鉄道や地下鉄など，さまざまな便利な公共交通機関がある。そのため，自転車シェアリングシステムが成功するかどうかは不確かだ。専門家たちはベリブのような成功事例を研究しているところである。

攻略テクニック!

Part 5 ライティング・Eメール

POINT

※試験内容などは変わる場合があります

形式 外国人の知り合いからのEメールの質問に対し，その答えを英文で書く。さらにEメールで示された下線部の特徴を問う具体的な質問を2つ英文で書く。英文の語数の目安は40語～50語

問題数 1問

目標時間 10分程度

傾向 日常生活や習慣，文化，社会などのテーマに関連したEメールが提示される

評価 解答は3つの観点（内容，語彙，文法）で採点される。観点ごとに0～4点の5段階で評価される

対策 相手に質問する表現や，自分の意見を述べる表現の型を日頃から学習して身につけよう

テクニック❶ 解答すべき内容を把握する!

Eメール問題では，**①相手のメールの内容に対して質問を2つする**，**②相手のEメールで聞かれている質問に答える**，という大きく分けて2つのタスクがあることを押さえましょう。問題の形式と問われる内容をあらかじめ把握しておくことによって，あせらずスムーズに問題に取り組むことができます。相手の質問に答えるだけでなく，こちらからも質問をする必要があるということがポイントです。

〈解答文作成の手順例〉

①冒頭の文で，相手のメールの下線部の事柄についての感想を述べる

②下線部の内容に対する具体的な質問(2つ)をする

③相手のメールでたずねられたことに返答する

※相手のメールでたずねられたことに返答したあとに，下線部の内容に対する具体的な質問(2つ)をする手順でもよい

テクニック❷　相手への質問は，5W 1H を使って具体的にたずねる!

「下線部の特徴を問う具体的な質問」をしなくてはならないので，疑問詞を使って 77 ページの解答例のように What language ～?, What kind of ～? や How long ～?, How much ～? など内容に応じてふさわしい**疑問詞(＋名詞)を使ってたずねる**とよいでしょう。もちろん Do you ～? などの疑問文を使っても構いませんが，2つの質問の内容があまり近くならないようにしましょう。1つの質問とみなされる可能性があります。

テクニック❸　相手の質問に対する答えは意見と理由を簡潔に!

相手のメールの最終文にある質問に対する答えは，**About your question,** のあとに続けて書くと相手の質問に対して答えているということがはっきりします。**答えだけでなくその理由も書く**とよいでしょう。

テクニック❹　問題文の指示をしっかり守る!

解答文の語数に注意しましょう。目安として与えられるのは 40 語～50 語という限られた語数なので，**必要なタスクに簡潔に答える**ことが求められます。長くなりすぎてしまったときは，短い語数で同じ意味の表現を考えたり，I think that ～の that を省いたりするなどの工夫が必要です。

また，相手の E メールに対応した内容にする必要があります。**示された下線部と関係のない質問をしたりしない**ようにしましょう。

テクニック❺　日頃からニュースなどに関心を持つ!

E メールでは習慣・文化・社会に関連するものの出題が予想されます。それらのテーマを扱った**ニュースに関心を持ち，自分の意見を英文で表現したり質問したりする**スキルを身につけましょう。安全面に留意して，SNS などで実際に外国人と英文でのやりとりをしてみることも有効です。

p.74-75 にある POINT やテクニックをふまえて，次の例題に取りくんでみましょう。

例題

- あなたは，外国人の知り合い(Alex)から，E メールで質問を受け取りました。この質問にわかりやすく答える返信メールを，□に英文で書きなさい。
- あなたが書く返信メールの中で，Alex の E メール文中の下線部について，あなたがより理解を深めるために，下線部の特徴を問う具体的な質問を２つしなさい。
- あなたが書く返信メールの中で□に書く英文の語数の目安は40語～50語です。
- 解答欄の外に書かれたものは採点されません。
- 解答が Alex の E メールに対応していないと判断された場合は，0 点と採点されることがあります。Alex の E メールの内容をよく読んでから答えてください。
- □の下の Best wishes, の後にあなたの名前を書く必要はありません。

> Hi!
> I recently made a new friend. He is the same age as me and lives in France. We met on the Internet. We both like video games, so we usually talk about our favorite games. He is very funny, and I enjoy talking to him a lot. However, my parents told me that I shouldn't make friends online. Do you think making friends in such a way is a good idea?
>
> Your friend,
> Alex

> Hi, Alex!
> Thank you for your e-mail.
>
> 解答欄に記入しなさい。
>
> Best wishes,

解答例

訳

やあ！
最近，新しい友達ができたよ。彼はぼくと同い年でフランスに住んでいる。インターネットで知り合ったんだ。２人ともゲームが好きだから，いつも好きなゲームの話をしてるよ。彼はとてもおもしろくて，彼と話すのはとても楽しい。でも，ぼくの親には，ネットで友達を作るべきではないと言われた。きみは，そのような方法で友達を作るのはいい考えだと思う？
きみの友人，
アレックス

やあ，アレックス！
E メールをありがとう。

解答欄に記入しなさい。

よろしくね，

解答例① ［相手への２つの質問→質問への返答］

I'm glad to hear that you made a new friend. I have two questions. What language does he speak? What kind of video games does he like? About your question, I think making friends online is a great idea. We can't do this without the help of the Internet.

(49 語)

解答例①訳

きみに新しい友達ができたと聞いてうれしいよ。２つ質問があるんだ。彼は何語を話すの？　どんなゲームが好きなのかな？　きみの質問についてだけど，オンラインで友達を作るのはすばらしいアイデアだと思う。これはインターネットの助けなしではできないよ。

解答例② ［質問への返答→相手への２つの質問］

I'm glad to hear that you made a new friend. I think making friends online is good. We can lean about people from other places and cultures. I have two questions. What language does he speak? What kind of video games does he like?

(44 語)

解答例②訳

きみに新しい友達ができたと聞いてうれしいよ。オンラインで友達を作るのはよいと思う。他の場所や文化の人について学ぶことができるよ。２つ質問があるんだ。彼は何語を話すの？ どんなゲームが好きなのかな？

攻略テクニック！

Part 5 ライティング・英作文

POINT

※試験内容などは変わる場合があります

形式	外国人の知り合いからのQUESTIONに対し，自分の意見とその理由を2つ，50語～ 60語の英文で書く
問題数	1問
目標時間	10分程度
傾向	日常生活や習慣，文化，社会などのテーマがQUESTIONとして出題される
評価	解答は4つの観点（内容，構成，語彙，文法）で採点される。観点ごとに0 ～ 4点の5段階で評価される
対策	語数が限られているので，6文（意見，理由の導入部分，理由①，理由②，理由①か②のあとに具体例など，結論）で簡潔にまとめよう

テクニック❶ 日本語で内容の下書きをしよう！

まず書きたい内容を日本語で下書きします。時間が限られているので，下書きは一字一句をきちんと書く必要はありません。**要点を簡潔に，順序立てて書きましょう。**

〈例題〉 QUESTION：Do you think students should read newspapers every day?

「あなたは，生徒は新聞を毎日読むべきだと思いますか」

［下書き］生徒は新聞を毎日読むべきだと思う（自分の意見）

→ 理由は２つある（理由の導入部分）

→ 現代の社会問題を知ることができるから（理由①）→ 社会でどのようなスキルを持つべきか考えるきっかけになる（理由①の具体例）→ 文章を毎日読むことで読解力が高まるから（理由②）→ 生徒は新聞を毎日読むべきである（結論）

テクニック❷ スペルミスはしない！

減点をさけるには，スペルミスをなくしましょう。例えば，「数学」という単語を書きたいときに mathematics というスペルが心配ならば，math と書くべきです。

あえて難しい単語を選ぶ必要はありません。**簡単な単語でよいので，確実に書くことができるものを使いましょう。**

テクニック❸　使う表現をパターン化する！

それぞれの文で使う表現をパターン化しておけば，あとは中身を QUESTION の答えに合うように書きかえていけばよいので，作文が容易になります。例として，次の表現を参考にしてみてください。

①冒頭の文
- I think ～. / I don't think ～.「私は～と思います／～と思いません」
- In my view, ～.「私の意見では，～」

②2つの理由の導入部分
- I have two reasons.「理由は2つあります」
- There are two reasons.「理由は2つあります」

③理由を述べる文
- First, ～.「1つ目は，～」
- Second[Next], ～.「2つ目は[次に]，～」

④具体例や追加情報などを述べる文
- For example, ～.「例えば，～」
- In other words, ～.「言いかえれば，～」
- In addition, ～.「加えて，～」

⑤結論を述べる文
- That's why ～.「そういうわけで～」
- For these reasons, ～.「これらの理由から～」

もちろん上記以外の表現でも構いません。あらかじめ使う表現を決めて繰り返し練習しておけば，本番の試験でも迷うことなく書きすすめることができるでしょう。

テクニック❹　語数をきちんと守る！

目安として与えられるのは50語～60語という限られた語数なので，**簡潔に要点だけを書くことが求められます。**

長くなりすぎてしまったときは，**短い語数で同じ意味を表す語を考えましょう。**例えば，「インターネットで」という表現を，on the Internet ではなく online と表すと2語分減らすことができます。

Part 5 ライティング・Eメール

テーマ 1 文化・芸術

学習日	目標時間 1問 10分	得点
/		/1

(1)

- あなたは，外国人の知り合い(Alex)から，E メールで質問を受け取りました。この質問にわかりやすく答える返信メールを，□に英文で書きなさい。
- あなたが書く返信メールの中で，Alex の E メール文中の下線部について，あなたがより理解を深めるために，下線部の特徴を問う具体的な質問を 2 つしなさい。
- あなたが書く返信メールの中で□に書く英文の語数の目安は 40 語～50 語です。
- 解答欄の外に書かれたものは採点されません。
- 解答が Alex の E メールに対応していないと判断された場合は，0 点と採点されることがあります。Alex の E メールの内容をよく読んでから答えてください。
- □の下の Best wishes, の後にあなたの名前を書く必要はありません。

> Hi!
> I hope you are doing well. Recently <u>an art museum</u> has opened in my town! I have been there several times with my friends. It is surprising that I am so excited about many ancient ornaments. But tickets cost a lot of money for me. Do you think that such museums should be free of charge in the future?
>
> Your friend,
> Alex

> Hi, Alex!
> Thank you for your e-mail.
>
> 解答欄に記入しなさい。
>
> Best wishes,

解答例

(1)

訳

やあ！
きみが元気でいることを祈っているよ。最近ぼくの街に美術館が開いたんだ！友人たちと何回かそこを訪れたよ。多くの古代の装飾品にこれほど興奮するなんてすごい驚きなんだ。でも入場券はぼくにとって多くのお金がかかるんだ。将来そういった美術館は無料にすべきだと思うかい？
きみの友人,
アレックス

やあ，アレックス！
メールをありがとう。

解答欄に記入しなさい。

よろしくね,

解答例

感想 I'm also surprised that you have an interest in ancient ornaments!
質問① How long does it take you to reach the museum?
質問② Does the museum have a gift shop?
相手への返答 About your question, we must pay some money to keep the museum open and buy new valuables.（45 語）

解答例訳

ぼくもきみが古代の装飾品に興味があることに驚いているよ！
その美術館に行くのにどのくらい時間がかかるの？
その美術館にはギフトショップはあるの？
きみの質問についてだけど，美術館を維持し，そして新しい貴重品を買うために，ぼくたちはいくらかのお金を支払うべきだよ。

補足

valuables 名貴重品
valuable 形価値のある，高価な
value 名動価値，評価する

Part 5 ライティング・Eメール

テーマ 2 動物・ペット

(1)

- あなたは，外国人の知り合い(Alex)から，Eメールで質問を受け取りました。この質問にわかりやすく答える返信メールを，□に英文で書きなさい。
- あなたが書く返信メールの中で，AlexのEメール文中の下線部について，あなたがより理解を深めるために，下線部の特徴を問う具体的な質問を2つしなさい。
- あなたが書く返信メールの中で□に書く英文の語数の目安は40語〜50語です。
- 解答欄の外に書かれたものは採点されません。
- 解答がAlexのEメールに対応していないと判断された場合は，0点と採点されることがあります。AlexのEメールの内容をよく読んでから答えてください。
- □の下のBest wishes, の後にあなたの名前を書く必要はありません。

> Hi!
> I have something to tell you. My grandfather bought me a puppy last week! She is very cute and my whole family is crazy about her! I take care of her every day and I feel very happy. By the way, do you have some cafes which you can take a dog with you into and buy some food for the pet to eat at in Japan?
>
> Your friend,
> Alex

> Hi, Alex!
> Thank you for your e-mail.
>
> 解答欄に記入しなさい。
>
> Best wishes,

解答例

(1)

訳

やあ！
きみに伝えたいことがあるんだ。祖父が先週ぼくに子犬を買ってくれたんだ！
とてもかわいくて家族みんながその子に夢中なんだ！　ぼくは毎日その子の世話をしていてとても幸せだよ。ところで，日本には店の中まで犬を連れて行けて，その子が食べるための食事を買えるカフェはあるかい？
きみの友人，
アレックス

やあ，アレックス！
メールをありがとう。

解答欄に記入しなさい。

よろしくね，

解答例

感想 I'm happy to hear that your grandfather bought you a cute puppy!
質問① What kind of dog is she?
質問② And what does she eat for breakfast?
相手への返答 As for your question, there are many cafes all over Japan which can feed a dog her food and it's so delicious for the dog.　(50 語)

解答例訳

きみのおじいさんが，きみにかわいい子犬を買ってくれたと聞いてうれしいよ！
その子の犬種は何かな？
それからその子は朝食に何を食べているの？
きみの質問についてだけど，犬に食事を出してくれて，そしてそれが犬にとってとてもおいしいというカフェは日本中にたくさんあるよ。

補足

what kind of dog は犬種(柴犬やチワワなどの種類)を聞く表現
as for your question, は「あなたの質問に関しては，」という言い方

Part 5 ライティング・英作文

テーマ 1 学生・社会人

(1)

- あなたは，外国人の知り合いから以下の QUESTION をされました。
- QUESTION について，あなたの意見とその理由を２つ英文で書きなさい。
- 語数の目安は 50 語～ 60 語です。
- 解答が QUESTION に対応していないと判断された場合は，０点と採点されることがあります。QUESTION をよく読んでから答えてください。

QUESTION
Do you think students today have enough free time?

---

(2)

- あなたは，外国人の知り合いから以下の QUESTION をされました。
- QUESTION について，あなたの意見とその理由を２つ英文で書きなさい。
- 語数の目安は 50 語～ 60 語です。
- 解答が QUESTION に対応していないと判断された場合は，０点と採点されることがあります。QUESTION をよく読んでから答えてください。

QUESTION
Do you think Japanese people work too much?

解答例

(1)

QUESTION 訳

あなたは，今日の学生は十分な自由時間を持っていると思いますか？

解答例

意見 I think that students today have enough free time. I have two reasons. 理由① First, they can watch TV and listen to music after school. 理由② Second, they have enough time to relax on weekends. For example, I often go shopping or see a movie with my mother. For these reasons, I think they have enough free time. (56 語)

解答例訳

私は，今日の学生は十分な自由時間を持っていると思います。理由は2つあります。1つ目は，彼らは放課後にテレビを見たり音楽を聞いたりすることができます。2つ目は，彼らは週末にくつろぐのに十分な時間があります。例えば，私は母と一緒によく買い物をしたり映画を見たりします。これらの理由から，私は彼らが十分な自由時間を持っていると思います。

---

(2)

QUESTION 訳

あなたは，日本の人々は働きすぎていると思いますか？

解答例

意見 I think that Japanese people work too much. I have two reasons. 理由① First, a lot of workers work over time in Japan. 理由② Second, they are so tired, but they don't have enough time to rest. I sometimes see those who sleep on a train. That is why I think Japanese people work too much. (54 語)

解答例訳

私は，日本の人々は働きすぎていると思います。理由は2つあります。1つ目は，日本では多くの労働者が残業して働いています。2つ目は，彼らはとても疲れているのに，休息を取る時間が十分にないのです。私は時々，電車の中で眠る人を見かけます。そういうわけで，私は日本の人々は働きすぎていると思います。

Part 5 ライティング・英作文

テーマ 2 食文化

(1)

● あなたは，外国人の知り合いから以下の QUESTION をされました。
● QUESTION について，あなたの意見とその理由を２つ英文で書きなさい。
● 語数の目安は 50 語～ 60 語です。
● 解答が QUESTION に対応していないと判断された場合は，０点と採点されることがあります。QUESTION をよく読んでから答えてください。

QUESTION
Do you think more people will eat fast food in the future?

---

(2)

● あなたは，外国人の知り合いから以下の QUESTION をされました。
● QUESTION について，あなたの意見とその理由を２つ英文で書きなさい。
● 語数の目安は 50 語～ 60 語です。
● 解答が QUESTION に対応していないと判断された場合は，０点と採点されることがあります。QUESTION をよく読んでから答えてください。

QUESTION
Do you think people should have breakfast every day?

解答例

(1)

QUESTION 訳

あなたは，将来より多くの人々がファストフードを食べると思いますか？

解答例

意見I think that more people will eat fast food in the future. I have two reasons. 理由①First, it's not so expensive. 理由②Second, we can save time by eating fast food. Today, people are very busy, so the restaurants which serve us food fast are so popular. That's why I think more people will eat fast food in the future. (59 語)

解答例訳

私は，将来より多くの人々がファストフードを食べると思います。理由は2つあります。1つ目は，それはあまり高くありません。2つ目は，私たちはファストフードを食べることで時間を節約できます。今日，人々はとても忙しいので，食べ物を早く提供できるレストランはとても人気があります。そういうわけで，私は将来より多くの人々がファストフードを食べると思います。

---

(2)

QUESTION 訳

あなたは，人々は毎日朝食をとるべきだと思いますか？

解答例

意見I think that people should have breakfast every day. I have two reasons. 理由①First, breakfast gives us energy to start a new day. After I eat breakfast, I can concentrate on studying in the daytime. 理由②Also, breakfast helps us keep our blood-sugar levels stable. That's why I think people should have breakfast every day.

(54 語)

解答例訳

私は，人々は毎日朝食をとるべきだと思います。理由は2つあります。1つ目は，朝食は私たちに新しい一日を始めるためのエネルギーを与えます。私は朝食を食べたあと，日中に集中して勉強することができます。また，朝食は血糖値を安定して保つのに役立ちます。そういうわけで，私は人々は毎日朝食をとるべきだと思います。

Part 5 ライティング・英作文

③ 買い物・IT

(1)

- あなたは，外国人の知り合いから以下の QUESTION をされました。
- QUESTION について，あなたの意見とその理由を２つ英文で書きなさい。
- 語数の目安は 50 語～ 60 語です。
- 解答が QUESTION に対応していないと判断された場合は，０点と採点されることがあります。QUESTION をよく読んでから答えてください。

QUESTION
Do you think more people will do their shopping on the Internet in the future?

---

(2)

- あなたは，外国人の知り合いから以下の QUESTION をされました。
- QUESTION について，あなたの意見とその理由を２つ英文で書きなさい。
- 語数の目安は 50 語～ 60 語です。
- 解答が QUESTION に対応していないと判断された場合は，０点と採点されることがあります。QUESTION をよく読んでから答えてください。

QUESTION
Do you think kids should have their own smartphones?

解答例

(1)

QUESTION 訳

あなたは，将来より多くの人々がインターネットで買い物をすると思いますか？

解答例

意見I think more people will do their shopping on the Internet in the future. I have two reasons. 理由①First, they can buy things anytime they like. For example, they can buy books even at midnight. 理由②Second, they can buy things more cheaply online. That's why I think more people will buy things on the Internet in the future. (58 語)

解答例訳

私は, 将来より多くの人々がインターネットで買い物をすると思います。理由は2つあります。1つ目は，彼らは物をいつでも好きなときに買うことができます。例えば，彼らは深夜であっても本を買うことができます。2つ目は，彼らはオンラインでより安く物を買うことができます。そういうわけで，私は将来より多くの人々がインターネットで買い物をすると思います。

---

(2)

QUESTION 訳

あなたは，子どもたちが自分のスマートフォンを持つべきだと思いますか？

解答例

意見I don't think kids should have their own smartphones. There are two reasons. 理由①First, if they use smartphones for many hours a day, their eyesight gets worse. Especially kids are likely to use them until late at night. 理由②Second, there is a risk of accessing offensive websites. That's why I don't think kids should have their own smartphones. (58 語)

解答例訳

私は子どもたちが自分のスマートフォンを持つべきだとは思いません。理由は2つあります。1つ目は，もし彼らがスマートフォンを一日に何時間も使ったら，視力が悪くなります。特に子どもたちは夜遅くまでそれらを使いがちです。2つ目は，不快なウェブサイトにアクセスしてしまう恐れがあります。そういうわけで，私は子どもたちが自分のスマートフォンを持つべきだとは思いません。

攻略テクニック！

Part 6 リスニング

POINT・第1部

※試験内容などは変わる場合があります

〈会話の応答文選択〉

形式 対話を聞き，最後の発言に対する最も適切な応答を，放送される3つの選択肢の中から選ぶ

問題数 10問

解答時間 1問につき10秒

傾向 A，B2人の対話がA→B→Aと読まれ，それに続くBの発言を選ぶ。放送文はそれぞれ一度だけ読まれる

テクニック❶ 対話の1往復目でテーマをつかむ！

話者２人の最初のやりとりで，対話のテーマや状況，２人の関係についての情報をつかみましょう。話者の関係は**友達，家族，教師と生徒**などがよく出ます。

テクニック❷ さまざまな応答のパターンを知ろう！

最後の発言が疑問文でない場合があります。選択肢中に答えの決め手となる語句が聞き取れなくても慌てずに，選択肢から**対話として自然な流れになる応答**を選びましょう。

POINT・第2部

※試験内容などは変わる場合があります

〈会話の内容一致選択〉

形式 対話を聞き，その内容に関する質問の答えを4つの選択肢の中から選ぶ

問題数 10問

解答時間 1問につき10秒

傾向 A，B2人による2往復の対話。放送文はそれぞれ一度だけ読まれる

テクニック❸ 選択肢を先に読む！

選択肢はすべて問題用紙に印刷されています。放送文が始まる前に，**選択肢を読んでおきましょう。**対話の状況や，質問内容を予想できれば，放送文の聞き取りが楽になります。完全に読み切る必要はなく，さっと目を通す程度で十分です。

解答時間に余裕がなければ，問題の選択肢を無理にすべて読んだりせず，その場に応じて落ち着いて解きましょう。

テクニック❹ 問われている内容を疑問詞から把握する！

質問文は必ず疑問詞から始まります。**「何についての質問か」「だれについての質問か」**をしっかり聞き取りましょう。対話中に出てくる人名にも注意が必要です。また，文末の時･場所を示す語句を聞き間違うと，誤った選択肢を選んでしまいかねません。質問文は最後まで，注意して聞き取りましょう。

POINT・第３部

※試験内容などは変わる場合があります

〈文の内容一致選択〉

形　式	**英文を聞き，その内容に関する質問の答えを４つの選択肢の中から選ぶ**
問題数	**10問**
解答時間	**1問につき10秒**
傾　向	**4～5文程度の英文，それぞれ一度だけ読まれる**
対　策	**練習問題を解き，物語文，説明文，アナウンス，それぞれのパターンに慣れておく**

テクニック❺ 放送中にメモを取る！

英文は一度しか放送されないので，集中して聞き取る必要があります。また，１問中には日時や場所，そのほかの情報が複数出てくるので，聞きながらメモを取りましょう。さまざまな**情報の組み合わせを把握する**ことが重要です。人物の「時 – 行動」や，天気予報の「時間帯 – 天気」，デパートなど店内アナウンスの「売り場 – フロア」など，問題によっていろいろな組み合わせがあります。しっかり練習してパターンを把握しておきましょう。

Part 6 リスニング・会話の応答文選択

テーマ1 質問に対する応答

学習日
解答時間
1問
10秒
得点
6
合格点4点

対話を聞き，その最後の文に対する応答として最も適切なものを，放送される 1，2，3 の中から一つ選びなさい。　※選択肢は問題用紙には印刷されていません。

No.1 TR 3

1.

2.

3.

No.2 TR 4

1.

2.

3.

No.3 TR 5

1.

2.

3.

No.4 TR 6

1.

2.

3.

No.5 TR 7

1.

2.

3.

No.6 TR 8

1.

2.

3.

一般疑問文に対する答えが，Yes か No であるとは限らない。

質問文と応答で主語が異なる場合もあるので注意！

解答と解説

No.1 TR 3

正解 2

放送文

A: Henry, you look pale. What's wrong with you?
B: I didn't sleep well last night.
A: Are you worried about something?

選択肢

1. Yes, you are worried.
2. No. It was just too hot to sleep.
3. No, I'm not sleepy at all.

放送文 訳

A：ヘンリー，顔色が悪いわね。どうかしたの？
B：昨日の夜，よく眠れなかったんだ。
A：何か心配なことでもあるの？

選択肢訳

1. **うん，きみは心配しているね。**
2. **いや。暑すぎて眠れなかっただけさ。**
3. **いいや，ぼくは全然眠たくないよ。**

解説 顔色が悪い男性に，女性が具合をたずねている。I didn't sleep well という答えを受けた女性の Are you worried about something? は，眠れなかった理由を聞いている。理由を説明しているのは選択肢 **2** のみ。Are you ～？と聞かれた場合，本問のように Yes. / No. と答えたあと，具体的な理由を言う場合もある。

No.2 TR 4

放送文

A: Have you ever been abroad, Natalie?
B: Yes, I have been to Japan.
A: Did you go there as a tourist?

選択肢

1. I've been to China many times.
2. I went there to study Japanese.
3. No, I've never been abroad.

放送文 訳

A：海外に行ったことはある，ナタリー？
B：ええ，日本へ行ったことがあるわ。
A：旅行で行ったのかい？

選択肢訳

1. **中国に何度も行ったことがあるわ。**
2. **日本語を勉強しにそこへ行ったの。**
3. **いいえ，私は海外へ行ったことがないの。**

解説 男性の２番目の発言 Did you go there as a tourist? は女性の「日本に行ったことがある」という発言を受けた質問。日本に何をしに行ったか答えている選択肢 **2** が正解。選択肢 **1** は質問に対する答えとなっていない。また，選択肢 **3** も女性の最初の発言と矛盾するので不適切。

No.3 TR 5

正解 **1**

放送文

A: Excuse me, officer. Can I park my car here?

B: No, ma'am. This is a no parking zone.

A: Where should I park, then?

選択肢

1. There's a parking lot across the street.

2. It's not an amusement park.

3. I have to go to the hospital.

放送文 訳

A：すみません，おまわりさん。車をここに止めてもいいですか？

B：いいえ，奥さん。ここは駐車禁止区域です？

A：それではどこに止めればよいですか？

選択肢訳

1. 通りの向かいに駐車場があります。

2. それは遊園地ではありません。

3. 私は病院に行かなければなりません。

解説 女性の最初と２番目の発話の中の park は動詞で「(自動車を)駐車する」という意味。女性は駐車してよいかどうか警官にたずねたが，その場所は駐車禁止区域(no parking zone)であると言われ，「それではどこに車を止めればよいのか」と聞き返している。したがって駐車場の場所を答えている選択肢 **1** が正解。選択肢 **2** の中の park は名詞で「公園」の意味なので注意。

No.4 TR 6

放送文

A: What are you going to do after graduating from college, Jim?

B: I've not decided yet, Susan. I hope to work near my home.

A: What will you do if you can't find a job?

選択肢

1. I'm sure you can find a job.

2. Colleges are not difficult to enter.

3. I'll probably travel abroad for a while.

放送文 訳

A：あなたは大学を卒業したら何をするつもりなの，ジム？

B：まだ決めていないんだよ，スーザン。家の近くで働きたいと思っているんだけど。

A：もし仕事が見つからなかったらどうするの？

選択肢訳

1. きっときみに仕事が見つかるよ。

2. 大学に入るのは難しくないよ。

3. たぶん，しばらく海外旅行に行くよ。

解説 女性の２番目の発話は if 節(条件節)がついた疑問文。What will you do「あなたは何をするつもりなの」の部分が聞き取れれば，未来のことを答える選択肢 **3** がその応答として自然だと分かる。

No.5 TR 7

放送文

A: Have you seen the magazine I bought a few days ago, David?

B: Magazine? You mean the cooking magazine?

A: Yes, that's it. I can't find it in my room. Do you know where it is?

選択肢

1. Yes, I'm looking for it.
2. Yes, I saw it on the kitchen table.
3. Yes, I'll buy you a fashion magazine today.

放送文 訳

A：2，3日前に私が買った雑誌を見なかった，デイヴィッド？

B：雑誌？　料理雑誌のこと？

A：ええ，それよ。私の部屋には見つからないの。どこにあるか知っている？

選択肢訳

1. **うん，ぼくはそれを捜しているよ。**
2. **うん，台所のテーブルの上で見たよ。**
3. **うん，ぼくは今日きみにファッション誌を買ってあげるよ。**

解説 放送文中の the magazine, the cooking magazine, it はすべて同じものを指すことに注意。また，「どこにあるのか知っているか」の質問に対する応答なので，場所を答える選択肢 **2** が正解。Yes と答えたあとに「捜している」と続く選択肢 **1** は不適切。選択肢 **3** に出てくるのは「ファッション誌」fashion magazine なので，女性が捜している料理雑誌とは異なる。

No.6 TR 8

放送文

A: Excuse me. Is this seat free?

B: Sorry, will you please say that again?

A: Could I sit here?

選択肢

1. No, this seat is not mine.
2. Yes, please take a seat.
3. You don't have to take a seat.

放送文 訳

A：すみません。この席は空いていますか？

B：すみませんがもう一度お願いします。

A：ここに座ってもいいですか？

選択肢訳

1. **いいえ，この席は私のものではありません。**
2. **はい，どうぞ座ってください。**
3. **あなたは座る必要はありません。**

解説 男性は最初の発話 Is this seat free? で，座席に座る許可を得ようとしている。女性はそれを聞き取れなかったため，Sorry と謝って，もう一度言うよう頼んでいる。断っているのではないことに注意。座ってもよいということを伝えている選択肢 **2** が正解。

Part 6 リスニング・会話の応答文選択

テーマ 2 依頼・提案に対する応答

学習日
解答時間
1問
10秒
得点
/6
合格点4点

対話を聞き，その最後の文に対する応答として最も適切なものを，放送される 1，2，3 の中から一つ選びなさい。　※選択肢は問題用紙には印刷されていません。

No.1 TR 9
1.
2.
3.

No.2 TR 10
1.
2.
3.

No.3 TR 11
1.
2.
3.

No.4 TR 12
1.
2.
3.

No.5 TR 13
1.
2.
3.

No.6 TR 14
1.
2.
3.

Why don't you ～？／ How about ～？／ Will you ～？は頻出！

会話に特有な提案や勧誘，依頼の表現をたくさん覚えておくことが高得点につながる。

解答と解説

No.1 TR 9

正解 3

放送文

A: Are you free next Sunday, Linda?
B: Yes, I don't have anything to do that day.
A: I'm going to the amusement park with my friends. Why don't you join us?

選択肢

1. Sorry. I have to take a piano lesson.
2. You are welcome.
3. Why not? Sounds like great fun!

放送文 訳

A：今度の日曜日は空いている，リンダ？
B：ええ，その日は何もすることがないわ。
A：ぼくは友達と遊園地に行くんだ。いっしょに行かない？

選択肢訳

1. **ごめんなさい。ピアノのレッスンがあるの。**
2. **どういたしまして。**
3. **ぜひ行きたいわ。とても楽しそう！**

解説 Why don't you ～？「～しませんか？」は勧誘の表現で，理由を聞いているのではないことに注意。Why not? と誘いに応じる選択肢 **3** が正解。選択肢 **1** は「何もすることがない」というリンダの最初の発言と矛盾する。

No.2 TR 10

正解 1

放送文

A: What's up, Lucy? You look so serious.
B: I can't decide what sport I should try when I start high school.
A: How about learning golf? You aren't good at team sports, you know.

選択肢

1. That's a good idea.
2. Yes, I like team sports.
3. Your face always looks serious.

放送文 訳

A：どうしたの，ルーシー？　とても深刻な顔をしているね。
B：高校に入ったらどのスポーツをやったらいいのか決められないのよ。
A：ゴルフを習ったらどうだい。きみはチームスポーツはあまり得意ではないだろう。

選択肢訳

1. **それはいい考えだわ。**
2. **ええ，私はチームスポーツが好きよ。**
3. **あなたの顔はいつも深刻に見えるわ。**

解説 男性の２番目の発話の How about ～？は「～はどう？」という提案を表す。提案に対して「いい考え」（a good idea）と感想を述べている選択肢 **1** が正解。

No.3 TR 11

放送文

A: Hi, Eric. Did you go anywhere during the summer vacation?
B: Yes, I went to Switzerland and took a lot of photos.
A: Wow, will you show me the photos?

選択肢

1. Yes, you will show me some of the photos.
2. OK. I'll bring some of them tomorrow.
3. Sure. Let's talk with my friends in Switzerland.

放送文 訳

A：こんにちは，エリック。夏休み中はどこかへ行った？
B：うん，スイスへ行って，たくさんの写真を撮ったよ。
A：わあ，その写真，私に見せてくれる？

選択肢訳

1. **うん，きみはその写真の何枚かをぼくに見せてくれるだろう。**
2. **いいよ。明日何枚か持ってくるよ。**
3. **もちろん。スイスにいるぼくの友達と話そう。**

解説 女性は２番目の発話で Will you ～？「～してくれますか？」という依頼の表現を使って，写真を見せるように頼んでいる。選択肢はどれも肯定の返事で始まるが，男性が写真を持ってくるという意味の文が続くのは選択肢 **2** のみ。選択肢 **1** は主語 you，目的語 me が誤り。

No.4 TR 12

放送文

A: Would you like to play table tennis, Jack?
B: I'm sorry, but I can't, Brenda. I have to study for a test today.
A: How about Saturday, then?

選択肢

1. I'm busy now.
2. OK. That sounds good.
3. Saturday will be sunny.

放送文 訳

A：卓球をしたくない，ジャック？
B：ごめん，できないよ，ブレンダ。ぼくは今日テストのために勉強しなければならないんだ。
A：それじゃあ，土曜日はどう？

選択肢訳

1. **今，ぼくは忙しいんだ。**
2. **分かった。それはよさそうだね。**
3. **土曜日は晴れるだろう。**

解説 少女の最初の発話 Would you like to *do* ～？は「～しませんか？」で勧誘を表す。少女は「卓球をしませんか」という誘いを断られたため，２番目の発話で「土曜日はどうですか」と日を変えて勧誘している。選択肢 **1** は現在（now）のことであり，土曜日についての応答ではない。選択肢 **3** は天気について語っているので，質問に対する答えにならない。選択肢 **2** のみが適切に答えている。

No.5 TR 13

正解 2

放送文

A: Hello, this is Cathy Johnson. May I speak to Mr. Turner?
B: Sorry, he is out now. But he'll be back soon.
A: Would you tell him to call me back when he returns?

選択肢

1. What should I tell him?
2. Sure. No problem.
3. Yes, I'll call you later.

放送文 訳

A：もしもし，キャシー・ジョンソンです。ターナーさんはいらっしゃいますか？
B：すみません，彼は今外出中です。でもすぐに戻って来ます。
A：彼が戻って来たら，私に電話してくださいと伝えていただけますか？

選択肢訳

1. **私は彼に何と言えばいいですか？**
2. **はい，分かりました。**
3. **はい，あとであなたに電話します。**

解説 女性の２番目の発話のWould you ～？は，丁寧な依頼表現。この文はMr. Turnerへの伝言の内容を表しているので，伝言内容をたずねる選択肢**1**は不適切。また，選択肢**3**は，電話に出た男性があとで電話するという意味になるので誤り。正解は選択肢**2**。

No.6 TR 14

正解 2

放送文

A: Do you have a minute, Moses?
B: Sorry, Mary. I'm in a hurry.
A: Well, it's really important. Please give me a second.

選択肢

1. Yes, it's important.
2. OK. What is it?
3. I have nothing to do today.

放送文 訳

A：ちょっといい，モーゼス？
B：ごめん，メアリー。急いでいるんだ。
A：ねえ，とても重要なことなの。お願い，ちょっと時間をちょうだい。

選択肢訳

1. **うん，それは重要だ。**
2. **分かった。何だい？**
3. **ぼくは今日何もすることがないんだ。**

解説 女性の最初の発言のhave a minuteは「時間がある，暇がある」という意味。a minuteは「１分」という意味ではないので注意。「話があるので少し時間をとってもらいたい」と頼んでいる。Sorryと断ろうとする男性に対し，女性はgive me a secondと重ねて頼んでいる。このa secondも，「１秒」ではなく「ほんの短い時間」の意味。これに対しOKと了承し，内容を聞く選択肢**2**が正解。「重要なこと」が何の話題なのか，放送文からは分からないので，選択肢**1**は誤り。選択肢**3**は「急いでいる」（in a hurry）という最初の男性の発言と矛盾する。

Part 6 リスニング・会話の内容一致選択

テーマ

1 理由を問う問題

対話を聞き，その質問に対して最も適切なものを 1，2，3，4 の中から一つ選びなさい。

No.1
TR 16

1. He thought her Japanese was different from the standard.
2. He was sure that she was born in Osaka.
3. He wanted to visit the place where she was born.
4. He wanted to live in Japan.

No.2
TR 17

1. He had a hamburger yesterday.
2. Spaghetti is easier to cook.
3. There is no beef at home.
4. His mother dislikes beef.

No.3
TR 18

1. He was absent with a cold yesterday.
2. He didn't listen to her in class.
3. He lost his memo pad.
4. It was too difficult for him.

No.4
TR 19

1. His umbrella is broken.
2. The forecast said it would be sunny all day.
3. He doesn't like some weather forecasters.
4. It wasn't rainy when he left home.

放送文と選択肢での言葉の言い換えに注意。

放送文中に because や so が出てくるとは限らないので注意。

解答と解説

No.1 TR 16

放送文

A: What is it that you want to ask me about, Mike?
B: Well, where were you born, Ayumi?
A: I was born and grew up in Osaka.
B: No wonder. I thought your Japanese was different from the standard.
Question: Why did Mike ask Ayumi where she was born?

放送文 訳

A：私に聞きたいことって何，マイク？
B：ああ，きみはどこで生まれたの，アユミ？
A：私は大阪で生まれて育ったの。
B：どうりでね。きみの日本語は標準語とは違うと思ったんだよ。
質問：なぜマイクはアユミにどこで生まれたのかを聞いたのですか。

選択肢訳 **1**. 彼女の日本語が標準語とは違うと思った。 **2**. 彼女が大阪生まれであることを確信していた。 **3**. 彼は彼女が生まれた場所を訪れたかった。 **4**. 彼は日本に住みたかった。

解説 マイクの２番目の発言 No wonder.「どうりで」という納得を表す言葉のあとに続くのが，生まれた場所をたずねた理由である。正解は選択肢 **1**。

No.2 TR 17

放送文

A: Mom, what are we having for dinner? I want to eat hamburger.
B: I'm going to cook spaghetti carbonara.
A: Spaghetti, again? Why can't we have hamburgers tonight?
B: We don't have any beef right now. I'll buy some tomorrow.
Question: Why can't the boy have hamburger for dinner tonight?

放送文 訳

A：お母さん，今晩の夕食は何にするの？ぼくはハンバーグが食べたいな。
B：スパゲッティカルボナーラを作るのよ。
A：またスパゲッティ？ なぜ今晩はハンバーグが食べられないの？
B：今，牛肉を切らしているのよ。明日いくらか買ってくるわ。
質問：なぜ少年は今晩ハンバーグを食べられないのですか。

選択肢訳 **1**. 彼は昨日ハンバーグを食べた。 **2**. スパゲッティの方が料理しやすい。 **3**. 家に牛肉がない。 **4**. 彼の母親は牛肉が嫌いだ。

解説 質問文と同じ内容が少年の２番目の発話にある。女性の返答 We don't have any beef を There is no beef と言い換えた選択肢 **3** が正解。

No.3 TR 18

放送文

A: Ms. Smith, what pages do we have to read for homework?

B: Why, Jack? Didn't you listen to me in class yesterday?

A: Yes, but I lost my memo pad.

B: I see. Read pages 23 through 29, please.

Question: Why does Jack ask Ms. Smith about his homework?

放送文 訳

A：スミス先生，宿題で読まなければならないのは何ページですか？

B：なぜです，ジャック？　昨日授業中に聞いていなかったのですか。

A：聞いていました，でもメモ帳をなくしてしまったのです。

B：分かりました。では23ページから29ページまでを読んできてください。

質問：なぜジャックはスミス先生に宿題のことをたずねているのですか。

選択肢訳　**1.** 昨日かぜで欠席していた。　**2.** 授業中先生の話を聞いていなかった。
3. メモ帳をなくした。　**4.** 宿題が彼にとって難しすぎた。

解説　少年の２番目の発話のYesは否定疑問文に対する答えなので，「聞いていた」という意味。あとに続くI lost my memo padが答えに当たる。正解は選択肢**3**。

No.4 TR 19

放送文

A: Fred, do you have an umbrella? The weather forecast said it is going to rain this afternoon.

B: No, I usually don't take an umbrella with me unless it is raining when I leave home.

A: Really? Why not?

B: Sometimes the forecast is wrong, and I end up carrying my umbrella all day and never use it.

Question: Why doesn't Fred have an umbrella today?

放送文 訳

A：フレッド，傘は持っているの？　天気予報では今日の午後は雨が降ると言っていたわよ。

B：いや，ぼくは家を出るときに雨が降っていなければ，ふだん傘を持たないんだよ。

A：本当？　なぜ，持たないの？

B：ときどき，予報は間違うことがあって，一日中傘を持っていても結局それを一度も使わないことがあるからだよ。

質問：なぜフレッドは今日傘を持っていないのですか。

選択肢訳　**1.** 彼の傘は壊れている。　**2.** 予報が一日中晴れると言った。
3. 気象予報士が好きではない。　**4.** 家を出るとき雨が降っていなかった。

解説　男性の最初の発言「家を出るときに降っていなければ，傘を持たない」が答え。女性の２番目の発話はその理由を重ねて聞いているが，「予報はときどき間違う」という意味の選択肢はないので，正解は選択肢**4**。

Part 6 リスニング・会話の内容一致選択

テーマ
2 話題を問う問題

対話を聞き，その質問に対して最も適切なものを 1，2，3，4 の中から一つ選びなさい。

No.1 TR 20

1. Why Jane reads so many books.
2. What their jobs are.
3. How they spend their money.
4. What they do in their free time.

No.2 TR 21

1. Judy's roommate.
2. Judy's sister.
3. Judy's living room.
4. Judy's lost cat.

No.3 TR 22

1. She likes practicing tennis on a hard court.
2. She has never played tennis on a grass court.
3. She likes playing on a grass court better than on a hard court.
4. She doesn't pay attention to the tennis court.

No.4 TR 23

1. Whether Pamela can answer the question or not.
2. How heavy the box is.
3. What Pamela's favorite animal is.
4. What the box contains.

会話の話題が何かを問う問題も頻出。

会話の一つ一つを理解することも大切だが，全体が何についての話なのかにも注意。

解答と解説

No.3 TR 20

正解 4

放送文

A: What do you do when you aren't working, Tom?

B: I often drive along the sea. How about you, Jane?

A: I like reading, so I sometimes go to the library and read novels.

B: That explains it. I wondered why you knew so many difficult words.

Question: What are Tom and Jane talking about?

放送文 訳

A：仕事をしていないときには何をしているの，トム？

B：ぼくはよく海沿いをドライブするよ。きみはどう，ジェーン？

A：私は読書が好きだから，ときどき図書館に行って小説を読むの。

B：それで分かった。きみは難しい言葉をたくさん知ってるなって思ってたんだ。

質問：トムとジェーンは何について話しているのですか。

選択肢訳 **1**. なぜジェーンはそんなに多くの本を読むのか。 **2**. 彼らの仕事は何か。 **3**. 彼らのお金の使い道。 **4**. 暇なときに彼らは何をするか。

解説 女性の最初の発話 What do you do when you aren't working ...? が対話の主題。それ以降はそれぞれの余暇の過ごし方の説明なので選択肢 **4** が正解。

No.4 TR 21

放送文

A: Hello, Judy. What's wrong?

B: Hi, Paul. My cat is missing. When I left home, she was in the bedroom. Now I'm home and I can't find her.

A: Really? Did you look for her in all the rooms in your house?

B: I did. I'll go outside and look for her.

Question: What are they talking about?

放送文 訳

A：もしもし，ジュディ。どうしたの？

B：もしもし，ポール。私の猫がいないの。家を出るときは寝室にいたわ。でも今帰ってきたら見当たらないの。

A：本当に？ 家中の部屋を全部捜した？

B：捜したわ。これから外に出て捜すわ。

質問：彼らは何について話しているのですか。

選択肢訳 **1**. ジュディのルームメイト。 **2**. ジュディの姉妹。 **3**. ジュディの居間。 **4**. ジュディのいなくなった猫。

解説 ジュディの最初の発言 My cat is missing. が対話の主題。missing も lost もともに「行方不明の，いなくなった」という意味。よって正解は選択肢 **4**。

No.5 TR 22

放送文

A: What sports do you like playing, Edwin?
B: I like playing tennis. How about you?
A: I like playing tennis, too. I prefer playing on a grass court to a hard court.
B: Do you? I like playing on any kind of court.
Question: What is one thing the woman says?

放送文 訳

A：どんなスポーツをするのが好きなの，エドウィン？
B：テニスをするのが好きだよ。きみは？
A：私もテニスをするのは好きよ。芝のコートでするほうがハードコートでするよりも好きだわ。
B：そうなの？　ぼくはどんなコートでするのも好きだよ。
質問：女性が言っていることの一つは何ですか。

選択肢訳 1. 彼女はハードコートでテニスを練習するのが好きだ。
2. 彼女は芝のコートでテニスをしたことがない。
3. 彼女はハードコートよりも芝のコートでテニスをするほうが好きだ。
4. 彼女はテニスコートを気にしない。

解説 女性の２番目の発言 I prefer playing on a grass court to ... と選択肢 **3** が同じ内容。prefer *A* to *B* = like *A* better than *B*「B より A のほうが好き」。

No.6 TR 23

放送文

A: Here's a Christmas gift for you, Pamela.
B: Thank you, Dad. How big the box is! And it looks heavy.
A: Can you guess what's inside the box? It's something that you have wanted for a long time.
B: Well, is it an animal?
Question: What are they talking about?

放送文 訳

A：きみへのクリスマスプレゼントだよ，パメラ。
B：ありがとう，お父さん。その箱はなんて大きいの！　それに重そうね。
A：箱の中に何が入っているか当てられるかい？　きみが長い間欲しがっていたものだよ。
B：ええと，それは動物かしら？
質問：彼らは何について話しているのですか。

選択肢訳 1. パメラが質問に答えられるかどうか。　2. 箱はどのくらい重いか。
3. パメラの一番好きな動物は何か。　4. 箱の中に何があるか。

解説 選択肢は部分的に会話の内容を表しているが，主題は男性の２番目の発言 Can you guess what's inside the box? にある，「箱の中にあるもの」。

Part 6 リスニング・会話の内容一致選択

テーマ 3 出来事を問う問題

学習日	解答時間	得点
/	1問 10秒	/4 合格点3点

対話を聞き，その質問に対して最も適切なものを 1，2，3，4 の中から一つ選びなさい。

No.1 TR 24

1. A penguin was swimming in the pond.
2. A penguin escaped from the aquarium.
3. A penguin was caught.
4. One of the aquarium staff was injured by a penguin.

No.2 TR 25

1. Jacob enjoyed playing the violin.
2. Mary had a good time at Jacob's concert.
3. Jacob saw Mary on a music show on TV.
4. Mary played the violin at the concert.

No.3 TR 26

1. She saw her favorite singer at a hair salon.
2. She went to a different hair salon than usual.
3. She cut her hair for herself.
4. She changed her hairstyle.

No.4 TR 27

1. He couldn't buy what he wanted.
2. The change he got was not enough.
3. He had to return 45 cents to the store.
4. He didn't have enough money to buy vegetables.

質問文の文末の last night や tonight など時を表す副詞(句)にも注意。

What happened ～？で問われることが多い。

解答と解説

No.1 TR 24

正解 2

放送文

A: Did you know a penguin got away from the aquarium last night?
B: Again? Is it the same penguin that was found in the pond next to the aquarium the other day?
A: I don't know. I hear the aquarium staff is looking for it now.
B: I hope they find it.
Question: What happened last night?

放送文 訳

A：昨夜，ペンギンが水族館から逃げたって知ってる？
B：また？　この間，水族館の隣の池で見つかったのと同じペンギンなのかな？
A：分からないわ。水族館の職員が今，捜しているんですって。
B：見つかるといいね。
質問：昨夜，何が起こったのですか。

選択肢訳 **1.** ペンギンが池で泳いでいた。　**2.** ペンギンが水族館から逃げた。　**3.** ペンギンが捕獲された。　**4.** 水族館職員の一人がペンギンに傷つけられた。

解説 昨夜(last night)起こったことは女性の最初の発言中の Did you know 以降に述べられている。got away を escaped と言い換えた選択肢 **2** が正解。

No.2 TR 25

正解 4

放送文

A: Did you have a good time tonight, Jacob?
B: I did, Mary. I was surprised you could play the violin so well.
A: Thanks. I'll have another concert next month. Please come again.
B: Yes, I'm sure I'll come.
Question: What happened tonight?

放送文 訳

A：今夜は楽しんでくれた，ジェイコブ？
B：ああ，メアリー。きみがあんなに上手にバイオリンを演奏できるなんて驚いたな。
A：ありがとう。来月，別のコンサートを開くのよ。また来てね。
B：うん，きっと来るよ。
質問：今晩，何が起こったのですか。

選択肢訳 **1.** ジェイコブはバイオリンを弾いて楽しんだ。　**2.** メアリーはジェイコブのコンサートで楽しく過ごした。　**3.** ジェイコブはテレビの音楽番組でメアリーを見た。　**4.** メアリーはコンサートでバイオリンを弾いた。

解説 男性の最初の発話からメアリーがバイオリンを演奏したことが，またメアリーの２番目の発話から今晩もコンサートが行われたことが分かる。正解は選択肢 **4**。

No.3 TR 26

正解 4

放送文

A: Hi, Ellen. You look different today.

B: Hi, Greg. I showed a photo of my favorite singer to a hair-dresser and asked for the same hairstyle. What do you think?

A: You look pretty in that short hair, and your hair color is nice, too.

B: Thank you. I'm glad to hear that.

Question: What happened to Ellen?

放送文 訳

A：やあ，エレン。今日はいつもと違うね。

B：こんにちは，グレッグ。私，大好きな歌手の写真を美容師さんに見せて，同じ髪型にするよう頼んだのよ。どう思う？

A：そのショートヘアはかわいく見えるし，髪の色はすてきだよ。

B：ありがとう。それを聞いてうれしいわ。

質問：エレンに何が起こったのですか。

選択肢訳 **1.** 美容院で大好きな歌手に会った。 **2.** いつもと違う美容院に行った。 **3.** 自分で髪を切った。 **4.** 髪型を変えた。

解説 男性の最初の発言 different と，２番目の髪型に対する感想から，エレンが髪型を変えたことが分かる。美容師に歌手の写真を見せ，その髪型にしてもらったと言っているので，選択肢 **3** は誤り。正解は選択肢 **4**。

No.4 TR 27

正解 2

放送文

A: Excuse me. I bought some vegetables here, but the change was 45 cents short.

B: Sorry, but can you prove it, sir?

A: No, I can't, but I'm sure the change was 45 cents less than I should have gotten.

B: OK, I'll believe what you say this time.

Question: What was the man's problem?

放送文 訳

A：すみません。この店で野菜をいくらか買ったのですが，お釣りが 45 セント足りませんでした。

B：おそれいりますがそれを証明することはできますか，お客様。

A：いいえ，できません，でも確かにお釣りは私が受け取るはずの額より 45 セント少なかったんです。

B：分かりました，今回はお客様のおっしゃることを信用しましょう。

質問：男性の問題は何だったのでしょうか。

選択肢訳 **1.** 欲しいものが買えなかった。 **2.** 受け取ったお釣りが十分でなかった。 **3.** 45 セントを店に返さなければならなかった。 **4.** 野菜を買うのに十分な代金を持っていなかった。

解説 男性の最初の発話の後半，the change was 45 cents short がこの対話の最も重要な内容を表している。change は名詞で「釣り銭」，short は「不足して」という意味であることに注意。

テーマ 4 正しい説明を選ぶ問題

学習日	解答時間	得点
/	1問 10秒	/4 合格点3点

対話を聞き，その質問に対して最も適切なものを 1，2，3，4 の中から一つ選びなさい。

No.1 TR 28

1. Buy yellow shoes.
2. Buy pink shoes.
3. Put on yellow shoes.
4. Put on pink shoes.

No.2 TR 29

1. He has many keys.
2. He has been late for class before.
3. He got up late this morning.
4. He cannot ride a bike.

No.3 TR 30

1. She is a doctor.
2. She ate something bad last night.
3. She will not go to work today.
4. She is a patient.

No.4 TR 31

1. It's about a 20-minute walk.
2. It's about 10 minutes by bus.
3. It is about 10 minutes by bike.
4. It takes 20 minutes by bike.

会話中で直接述べられていないことが答えになる場合がある。

相手への呼びかけなどから，２人の話者の関係，会話の状況を読み取ろう。

解答と解説

No.1 TR 28

正解 4

放送文

A: May I help you, ma'am?
B: Yes. I want a pair of yellow jogging shoes.
A: I'm sorry, but we don't have yellow jogging shoes. How about these pink ones? The color would look great on you.
B: Really? Can I try them on?
Question: What will the woman probably do next?

放送文 訳

A：何かお探しですか，お客様。
B：はい。黄色いジョギングシューズがほしいのですが。
A：申し訳ありませんが黄色いジョギングシューズは取り扱っておりません。このピンクのものはいかがですか。この色はとてもよく似合うと思います。
B：本当？　試着してもいいかしら。
質問：女性は次におそらく何をするでしょうか。

選択肢訳
1. 黄色いシューズを買う。
2. ピンクのシューズを買う。
3. 黄色いシューズを履く。
4. ピンクのシューズを履く。

解説 女性の２番目の発話中の try ～ on は「～を試着する」という意味。これは選択肢中の put on ～「～を履く」に言い換えられる。選択肢 **4** が正解。

No.2 TR 29

放送文

A: You are late again, Mike!
B: Sorry, Ms. Brown. I was looking for my bike key.
A: If you come late for class one more time, I'll have to talk with your parents.
B: I'm really sorry. I'll never do it again.
Question: What is one thing we learn about the boy?

放送文 訳

A：また遅刻しましたね，マイク！
B：すみません，ブラウン先生。自転車のかぎを捜していたのです。
A：もう一度授業に遅れたら，あなたのご両親とお話ししなければなりません。
B：本当にすみません。もう二度としません。
質問：少年について分かることの一つは何ですか。

選択肢訳
1. かぎをたくさん持っている。
2. 以前授業に遅れたことがある。
3. 今朝寝坊した。
4. 自転車に乗ることができない。

解説 先生の最初の発話 late again，２番目の発話 late for class から，マイクが授業に遅刻したこと，今回が初めてではないことが分かる。よって正解は選択肢 **2**。

No.3 TR 30

正解 4

放送文

A: Good morning. What's the problem today?

B: Good morning, Doctor. I have a stomachache.

A: What kind of pain is it? And when did it start?

B: It's a sharp pain. It started last night.

Question: What is one thing we learn about the woman?

放送文 訳

A：おはようございます。今日はどうなさいましたか。

B：おはようございます，先生。おなかが痛いんです。

A：どのような痛みですか。そして，いつ始まりましたか。

B：鋭い痛みです。昨夜から痛みだしたんです。

質問：女性について分かることの一つは何ですか。

選択肢訳 **1**. 彼女は医師である。　**2**. 彼女は昨夜，悪いものを食べた。
3. 彼女は今日，仕事には行かないつもりだ。　**4**. 彼女は患者である。

解説 女性が男性に Doctor「先生」と呼びかけ，症状を訴えていることから，男性は医者，女性は患者だと分かる。選択肢 **4** が正解。医者と患者との会話もよく出題されるので，パターンを押さえておこう。

No.4 TR 31

正解 1

放送文

A: Is it far from the station to your apartment, Susan?

B: A little. It's about 20 minutes on foot.

A: Do you usually walk to the station when you go to work?

B: No, I go to the station by bicycle if it isn't raining.

Question: How far is the woman's apartment from the station?

放送文 訳

A：駅からきみのアパートまでは遠いのかい，スーザン。

B：ちょっとね。徒歩で約 20 分よ。

A：きみは普通，通勤するときは駅まで歩いて行くの？

B：いいえ，私は雨が降っていなければ自転車で駅まで行くのよ。

質問：女性のアパートは駅からどのくらい遠いのですか。

選択肢訳 **1**. 歩いて約 20 分の距離。　**2**. バスで約 10 分。
3. 自転車で約 10 分。　**4**. 自転車で 20 分。

解説 How far is *A* from *B*? は「A は B からどのくらい遠いのか？」と距離を問う文。対話文中では，about 20 minutes on foot と，所要時間で距離を表している。on foot は「徒歩で」の意味。また, a ～ minute walk は「徒歩で～分の距離」という意味なので，正解は選択肢 **1**。

リスニング・文の内容一致選択

テーマ1 物語文

英文を聞き，その質問に対して最も適切なものを 1，2，3，4 の中から一つ選びなさい。

No.1 TR 33

1. It was warm yesterday.
2. He has a headache.
3. He has a fever.
4. He drank cold water.

No.2 TR 34

1. Teach opera at an Italian elementary school.
2. Study abroad to learn opera.
3. Become a professional dancer.
4. See a beautiful Italian woman.

No.3 TR 35

1. To study Japanese songs.
2. To appear on a TV program.
3. To work at a restaurant.
4. To watch a Japanese music show on TV.

No.4 TR 36

1. He dropped them from the tree.
2. His father stepped on his glasses.
3. His glasses were broken by the falling branch.
4. He didn’t like his old glasses.

1人の人物を中心とした物語文が読まれる。

質問文に含まれる next month や yesterday などの時に対応する行動を聞き取ろう。

解答と解説

No.1 TR 33

正解 3

放送文

Tom went to a pool yesterday. He swam there for three hours. This morning, he felt cold when he got up. He checked his temperature and realized he had a fever, so he is going to the hospital today.

Question: Why is Tom going to the hospital today?

放送文 訳

トムは昨日，プールに行った。彼は3時間，そこで泳いだ。今朝起きてみると寒く感じた。体温を測り，熱が出ていることが分かったので，彼は今日，病院に行くつもりだ。

質問：なぜトムは今日，病院に行くのですか。

選択肢訳 1. 昨日暖かかった。 2. 彼は頭痛がする。 3. 彼は熱がある。 4. 彼は冷たい水を飲んだ。

解説 第4文の realized he had a fever から，トムは熱があることが分かる。正解は選択肢 **3**。

No.2 TR 34

正解 2

放送文

When Noriko was a high school student, her mother took her to the opera. Noriko was very impressed by a beautiful foreign woman singing opera. Now she is studying music at college, and is going to Italy to learn to sing opera next year. She hopes she will become a professional opera singer.

Question: What is Noriko going to do next year?

放送文 訳

ノリコが高校生のころ，母親は彼女をオペラに連れて行った。ノリコはオペラを歌う美しい外国人女性に大きな感銘を受けた。今，彼女は大学で音楽を学んでおり，来年，イタリアに行き，オペラの歌い方を学ぶ予定だ。彼女は将来，プロのオペラ歌手になりたいと思っている。

質問：ノリコは来年何をする予定ですか。

選択肢訳 1. イタリアの小学校でオペラを教える。 2. オペラを学びに海外留学する。 3. プロのダンサーになる。 4. 美しいイタリア人の女性に会う。

解説 第3文後半 going to Italy to learn to sing opera next year が答えに当たる箇所。選択肢 **2** の study abroad「海外留学する」はこれを言い換えたもの。

No.3 TR 35

放送文

Lisa works at a restaurant in New York. She is a good guitarist, and she likes to play Japanese pop music. Last month she had an audition for a Japanese music TV show, and was accepted. Now she is looking forward to going to Japan to be on that show next month.

Question: Why is Lisa going to Japan next month?

放送文 訳

正解 **2**

リサはニューヨークのレストランで働いている。彼女はギターが上手で，日本のポップミュージックを弾くのが好きである。先月，日本の音楽テレビ番組のためのオーディションを受け，それに合格した。今，彼女はその番組に出演するために来月日本へ行くのを楽しみにしている。

質問：なぜリサは来月，日本へ行くのですか。

選択肢訳 **1**. 日本の歌を勉強するため。 **2**. テレビ番組に出るため。 **3**. レストランで働くため。 **4**. 日本の音楽番組をテレビで見るため。

解説 第３文から，リサは日本の音楽番組のオーディションを受けて合格したことが分かる。また，第４文では，不定詞句で訪日の目的が「その番組に出るために」と説明されている。be on that show「出演する」を appear on a TV program で言い換えた選択肢 **2** が正解。

No.4 TR 36

放送文

Harry was helping his father cut the branches off the trees in the yard behind the house. When his father cut one of the branches, Harry tried to catch it under the tree. However, the branch hit Harry's glasses and broke them. He was disappointed. He has to buy new glasses.

Question: Why does Harry have to buy new glasses?

放送文 訳

ハリーは家の裏庭で，父親が木の枝を切るのを手伝っていた。父親が枝を１本切ったとき，ハリーは木の下でそれを受け取ろうとした。しかし，枝がハリーの眼鏡に当たり，眼鏡は割れてしまった。彼はがっかりした。新しい眼鏡を買わなければならない。

質問：なぜハリーは新しい眼鏡を買わなければならないのですか。

選択肢訳 **1**. 木から眼鏡を落とした。 **2**. 父親が眼鏡を踏んだ。 **3**. 眼鏡が落ちてくる枝で割れた。 **4**. 自分の古い眼鏡が好きではなかった。

解説 第３文に the branch hit Harry's glasses とある。これが新しい眼鏡を買わなければならない理由なので，選択肢 **3** が正解。

テーマ 2 説明文

英文を聞き，その質問に対して最も適切なものを 1，2，3，4 の中から一つ選びなさい。

No.1 TR 37

1. It is a kind of dog.
2. It has short legs and short ears.
3. It jumps in the air and catches bats and birds.
4. Its body color is black.

No.2 TR 38

1. They are easy to make.
2. It is difficult for Westerners to use chopsticks.
3. They are good for your health.
4. Bentos are very expensive to make, but delicious.

No.3 TR 39

1. It's the Lions.
2. It's the White Sox.
3. It's the Tigers.
4. It's the Carp.

No.4 TR 40

1. A name of a person.
2. A name of the country in South America.
3. An angel coming down from heaven.
4. A name of an airplane.

説明文では，知らない語が読まれても落ち着いて聞くことが大切。あとにその語の説明が続く場合がある。

固有名詞を聞き分けることも重要。

解答と解説

No.1 TR 37

放送文

The serval is a wild cat that lives in Africa. It is also called the serval cat. It has long legs, and big ears. It is brownish-yellow in color with black spots. It catches small animals, such as rats and rabbits. Also, it can jump so high that it sometimes catches bats and birds while they are flying.

Question: What is one thing we learn about the serval?

放送文 訳

サーバルはアフリカに住む野生の猫である。それはサーバルキャットとも呼ばれる。長い脚と大きな耳を持っている。色は褐色がかった黄色で，黒い斑点がついている。ネズミやウサギのような小型の動物を捕まえる。また，とても高くジャンプできるため，飛んでいるコウモリや鳥を捕まえることもある。

質問：サーバルについて分かることの一つは何ですか。

選択肢訳 **1**. 犬の一種である。 **2**. 短い脚と短い耳を持っている。 **3**. 空中をジャンプしてコウモリや鳥を捕まえる。 **4**. 体の色は黒である。

解説 最終文と同じ内容を述べる選択肢 **3** が正解。

No.2 TR 38

放送文

Bentos are becoming more and more popular around the world. In Paris, there is a popular store selling a variety of bento boxes and chopsticks made in Japan. The reason bentos are so popular is that they are not only beautiful but also healthy.

Question: What is one reason that bentos are popular in the world now?

放送文 訳

弁当は世界中で人気が高まりつつある。パリには，日本製のさまざまな弁当箱や箸を売っている人気店がある。弁当にこれほど人気がある理由は，美しいだけでなく，健康によいためである。

質問：弁当が今，世界的に人気がある一つの理由は何ですか。

選択肢訳 **1**. 作るのが簡単である。 **2**. 西洋人にとって箸を使うのは難しい。 **3**. 健康にいい。 **4**. 作るにはとても費用がかかるが，おいしい。

解説 第３文後半で，they (＝ bentos) are not only beautiful but also healthy と述べられている。下線部と一致する選択肢 **3** が正解。

No.3 TR 39

正解 3

放送文

Some major league baseball teams in the United States have the same names as Japanese professional baseball teams. For example, the Tigers and the Giants. Other major league teams have names unlike anything in Japan, such as the Philadelphia Phillies, the Chicago White Sox and the Miami Marlins.

Question: What is one name that Japan and the US's baseball teams have in common?

放送文 訳

アメリカのメジャーリーグのいくつかの野球チームは日本のプロ野球チームと同じ名前を持っている。例えば，タイガースやジャイアンツである。ほかのメジャーリーグのチームは，フィラデルフィア・フィリーズやシカゴ・ホワイトソックスやマイアミ・マーリンズのように日本のどんな名前とも違っている。

質問：日本とアメリカの野球チームに共通する名前の一つは何ですか。

選択肢訳 **1**. **ライオンズ。** **2**. **ホワイトソックス。** **3**. **タイガース。** **4**. **カープ。**

解説 冒頭で，アメリカのメジャーリーグの野球チームには日本のプロ野球チームと同じ名前のチームがあることを述べ，第２文でその例を２つ挙げている。その２つのうち１つが **3**. the Tigers である。

No.4 TR 40

正解 1

放送文

Angel Falls is the highest waterfall in the world. It falls 979 meters. It is in Venezuela, a country in South America. The falls drop so far that the water changes into a cloud of very small drops when it reaches the bottom. Angel Falls was named after an airplane pilot, named Jimmie Angel.

Question: What was Angel Falls named after?

放送文 訳

エンジェルフォールは世界で最も高い滝である。滝は 979 メートル落ちる。南米の国，ベネズエラにある。滝はあまりにも遠くへ落ちるため，着水するときには，水は極めて小さな滴が集まった雲に変わる。エンジェルフォールはジミー・エンジェルという名前のパイロットにちなんで名づけられた。

質問：エンジェルフォールは何にちなんで名づけられたのですか。

選択肢訳 **1**. **人の名前。** **2**. **南米にあるその国の名前。** **3**. **天から降りてくる天使。** **4**. **飛行機の名前。**

解説 最終文に Angel Falls was named after an airplane pilot, named Jimmie Angel. とある。pilot，Jimmie を聞き逃すと人名であることが分からないので注意。

Part 6 リスニング・文の内容一致選択

テーマ 3 アナウンス

英文を聞き，その質問に対して最も適切なものを 1，2，3，4 の中から一つ選びなさい。

No.1
TR 41

1. It will be hotter than today.
2. It will be sunny.
3. It will be colder than today.
4. It will be rainy all day.

No.2
TR 42

1. During the year-end and New Year holidays.
2. From Monday to Saturday.
3. 8 a.m. to 10 p.m.
4. Every day.

No.3
TR 43

1. All the children's clothes.
2. All the men's clothes.
3. All the ladies' dresses.
4. All the children's shoes.

No.4
TR 44

1. Leave the school as quickly as possible.
2. Get under the desk.
3. Keep quiet, and obey their teacher's instructions.
4. Put out the fire.

アナウンスはある程度パターン化しており，最初の1，2文で状況が分かる場合が多い。

先に選択肢を読んで，問われる内容を予測しておく。

解答と解説

No.1 TR 41

放送文

Now for the weather report. Today will be sunny with temperatures between 16 and 22 degrees. Right now, it is clear, but it will be cloudy tonight. Tomorrow will be rainy in the morning. The temperature will be lower than today.

Question: How will the weather be tomorrow?

放送文 訳

さて天気をお伝えします。今日は気温が16度から22度の間で，晴れるでしょう。現在は快晴ですが，今晩はくもるでしょう。明日は午前中雨が降るでしょう。気温は今日より低くなるでしょう。

質問：明日の天気はどうなるでしょうか。

選択肢訳 1. 今日より暑くなるだろう。　2. 晴れるだろう。
3. 今日より寒いだろう。　4. 一日中雨が降るだろう。

解説 最終文に The temperature will be lower than today. とある。「気温が低くなる」を「寒くなる」と言い換えた選択肢 **3** が正解。

No.2 TR 42

放送文

Thank you for calling Sunrise Swimming Pool. We are currently closed. We will re-open on January 8th. Our business hours are 10 a.m. to 8 p.m., Monday through Saturday. Please call again during our regular business hours. Thank you.

Question: When is the swimming pool usually open?

放送文 訳

サンライズ・スイミングプールにお電話くださり，ありがとうございます。ただいま，休校しております。1月8日に営業を再開します。営業時間は月曜日から土曜日の午前10時から午後8時までです。通常の営業時間に改めてご連絡ください。よろしくお願いいたします。

質問：スイミングプールが通常営業しているのはいつですか。

選択肢訳 1. 年末年始の休日の間。　2. 月曜日から土曜日まで。
3. 午前8時から午後10時まで。　4. 毎日。

解説 第4文に Our business hours are 10 a.m. to 8 p.m., Monday through Saturday. とある。したがって選択肢 **2** が正解。

No.3 TR 43

放送文

May I have your attention, please? We are having a special sale for the next 30 minutes in the children's clothing section. Until 2: 30, all items will be discounted 20% off our already low daily prices. If you are looking for children's clothes, now is the time to buy them! Thank you for shopping at Flowermart.

Question: What kind of clothes are 20% off today?

放送文 訳 正解 **1**

お客様にお知らせいたします。今から30分間子ども服売り場で特売を行います。2時30分まで，すべての商品を，通常のお安いお値段よりさらに20%値引きします。子ども服をお探しなら今が買いどきです！フラワーマートをご利用くださり，ありがとうございます。

質問：今日はどんな種類の衣類が20%引きになるのですか。

選択肢訳 **1. すべての子ども服。** **2. すべての紳士服。**
3. すべての婦人服。 **4. すべての子ども用の靴。**

解説 第2文で，これからの30分間，子ども服売り場で特売が行われると言っている。また，第3文でall items「すべての商品」が20%引きになると言っている。したがって正解は選択肢**1**。

No.4 TR 44

放送文

Attention all students. This is Ms. Anderson speaking. This is a fire drill. I repeat, this is a fire drill. The emergency bell is going to ring in one minute. When you hear the bell, please be sure to be quiet and follow your teacher's directions. Thank you.

Question: What do students have to do when the bell rings?

放送文 訳 

生徒のみなさん。アンダーソンです。これは避難訓練です。くり返しますが，これは避難訓練です。非常ベルが1分後に鳴ります。ベルの音が聞こえたら，必ず静かにして先生の指示にしたがってください。以上です。

質問：生徒たちはベルが鳴ったら何をしなければならないのですか。

選択肢訳 **1. できるだけ早く学校から離れる。** **2. 机の下にもぐる。**
3. 静かにして，先生の指示にしたがう。 **4. 火を消す。**

解説 fire drillは「(火災の)避難訓練」という意味。この語を知らなくても第5文でemergency bell「非常ベル」が1分後に鳴ることを予告していることから，訓練であると推測できる。最終文のfollowは選択肢**3**のobeyと同義語。また，directionsは選択肢**3**のinstructionsの同義語。

第 2 章

模擬試験

準2級模擬試験｜筆記問題

学習日 ／　解答時間 80分　正解数 31問中　問

※問題形式などは変わる場合があります。

1 **次の (1) から (15) までの(　　)に入れるのに最も適切なものを 1, 2, 3, 4 の中から一つ選びなさい。**

(1) **A**: There was a car (　　) this morning.
B: Yes, I know. Many people saw it.
1 tournament
2 scream
3 medicine
4 accident

(2) He has many friends with (　　) kinds of jobs. It is exciting for him to hear about different jobs.
1 various
2 nuclear
3 direct
4 actual

(3) Since the failure was caused by Ryusuke, he had to pay for the (　　). But he didn't have enough money.
1 distance
2 detail
3 damage
4 degree

(4) **A**: Dad, I (　　) where Ted is.
B: I don't know. Let's call his mobile phone.
1 advertise
2 regret
3 wonder
4 mistake

(5) A: Do you think that it will be nice tomorrow?
B: (　　　) not. My father said that it will be rainy tomorrow.
1 Probably
2 Quietly
3 Recently
4 Shortly

(6) Wendy spoke to the (　　　) on the importance of volunteer activity. Many people agreed with her.
1 prize
2 danger
3 audience
4 grade

(7) A: May I ask your (　　　), Ann?
B: Sure, Jack. But please don't give it to anyone.
1 climate
2 reach
3 noise
4 address

(8) Fumiko is good at science. On the test, there wasn't a (　　　) mistake in her answers.
1 several
2 similar
3 short
4 single

(9) **A**: Could I use my credit card to pay for this?
B: I'm so sorry, madam. Our shop only (　　) cash.

1 generates
2 wastes
3 suggests
4 accepts

(10) Richard always makes fun of my English skill. However, when he first came to Japan, he couldn't (　　) my name correctly.

1 purpose
2 pronounce
3 project
4 perform

(11) **A**: Is anything wrong with you, Ted?
B: (　　) me alone, please. I don't want to talk with anyone.

1 Leave
2 Miss
3 Order
4 Pull

(12) In this game, three players draw cards (　　).

1 in turn
2 on purpose
3 in reality
4 on business

(13) **A:** Excuse me, do you know whether there is a park around here?
B: Yes, (　　) fact, I'm going there right now. Come with me if you please.

1 for
2 in
3 at
4 by

(14) **A:** Jane, I have to go to Sapporo on business.
B: Then I will take (　　) of your cat for you, Yumi.

1 issue
2 care
3 habit
4 plenty

(15) **A:** (　　) the weather forecast, it will be rainy tomorrow afternoon, Mom.
B: Be sure to take an umbrella with you.

1 Instead of
2 Because of
3 Speaking of
4 According to

2 次の四つの会話文を完成させるために，(16) から (20) に入るものとして最も適切なものを **1**，**2**，**3**，**4** の中から一つ選びなさい。

(16) A: Hi, Alan. How are you going to get to the party tomorrow?
B: I'm going to use my car.
A: Oh, really? (16)?
B: Sure, no problem.

1 Can you wait a moment
2 Could you give me a ride
3 Why don't you ask your uncle
4 Would you please slow down

(17) A: Excuse me. (17).
B: I'm so sorry but our tables are full now, sir.
A: Well, how long do I have to wait?
B: No more than 10 minutes. Please take a seat over there.

1 I have a reservation
2 I would like to have the menu
3 I wonder if I could use my card
4 I'd like a table for three

(18) **A**: Dad, will you please wake me up at five tomorrow morning?
B: Five? Tomorrow is Sunday, isn't it?
A: Well, I'm going to do voluntary work in Tohoku.
B: OK. (**18**).

1 That's none of your business
2 You can say that again
3 Leave it to me
4 I'm just looking

A: Hi, Teppei. How's everything going?
B: Hey, Cathy. I'm fine. (**19**).
A: Can you have lunch with me?
B: OK, where shall we go?
A: How about that Italian restaurant at the corner? It's very cheap and has many kinds of pizzas.
B: Hmm, to tell you the truth, (**20**).
A: So let's go to the Chinese restaurant over there.
B: That's great. I love Chinese food.

(19) **1** It's up to you
2 So am I
3 You look pale
4 Long time no see

(20) **1** I'm not in the mood to eat Italian
2 I'm poor at doing it
3 I have no time to spare
4 I have to go right now

次の英文を読み，その文意にそって(21)と(22)の(　　)に入れるのに最も適切なものを **1**，**2**，**3**，**4** の中から一つ選びなさい。

3

Sandra's new electric bike

Sandra often rides her bike. She rides it almost every day to go shopping or to visit her friends' houses. She and her husband Dave have a car and she has a driver's license, but she (**21**) the car because Dave goes to work by car. Another reason she rides her bike so often is that she needs exercise. After having two children, she began to gain weight. Riding a bike is good exercise for her.

However, one problem is that the city where Sandra lives has a lot of hills. It is hard to go up these hills by bike. Moreover, she turned 50 this year, and she began to feel very tired after going up the hills by bike. So, she (**22**) an electric power-assisted bicycle, and she bought one yesterday. Today she is going to ride her new electric bike for the first time. With her electric bicycle, she doesn't need to pedal strongly any longer when she rides up a hill.

(21) **1** often rides
2 safely stops
3 rarely uses
4 usually checks

(22) **1** decided to buy
2 began to understand
3 disliked to know
4 explained to forgive

次の英文 [A], [B] の内容に関して, (23) から (29) までの質問に対して最も適切なもの, または文を完成させるのに最も適切なものを 1, 2, 3, 4 の中から一つ選びなさい。

4 [A]

From: Michael Jones <michael-j@abccamera.com>
To: Samuel Cooper <sam-cooper@easymail.com>
Date: October 14
Subject: I'm very sorry.

Dear Mr. Cooper,
Thank you for your recent email to our Customer Support office. First of all, please allow me to apologize for the problems you have experienced with your new camera. I am very sorry that you are having trouble getting your camera to take videos. We work hard to make sure of the quality of our products, but, from time to time, this kind of thing happens. In general, we ask customers to take any products they purchased at an electronic goods store back to the store and ask the sales staff there to handle the repairs. However, in this case, because the video function did not work at such an important time, I want to deal with your camera as quickly and as smoothly as possible. I know that I cannot make up for the lost opportunity you had to record the wedding. But if you send the camera to the address at the end of this email, I will personally see to it that it is checked and repaired (or replaced) as soon as possible.
If there is anything else I can help you with, please do not hesitate to contact me.
Sincerely yours,
Michael Jones
Customer Support
ABC Camera, Inc.
2910 Curtis Road
West Lawn, PA 19609

(23) What is one reason that Michael Jones sent this e-mail?

1 To say thank you for the information the customer gave.
2 To answer that he couldn't repair the camera.
3 To apologize to the customer for the problem with the camera.
4 To tell the customer that the camera was not broken.

(24) If customers have problems with electronic goods that they bought at ABC Camera,

1 they are usually supposed to ask the sales staff at the store.
2 they should always send them to the factory.
3 they can exchange it for a new one anytime.
4 they always have to contact Michael Jones.

(25) What will Mr. Samuel Cooper probably do after reading this e-mail?

1 Go to the store to buy a new camera.
2 Wait for Michael Jones to send him the new camera.
3 Call and ask the sales staff to repair the camera.
4 Send the camera to the address given by Michael Jones.

4 [B]

Flash Mob

A flash mob is a group of people who gather together suddenly in a public place at exactly the same time, perform an unusual and apparently useless act, and after that, quickly move apart and go on their way at the same time. The purposes of these acts are often entertainment, satire,* and artistic expression. They are organized by means of the Internet.

The first flash mob was created in New York in 2003, by Bill Wasik, a magazine reporter. In the carpet section of an expensive department store in Manhattan, many people suddenly appeared and discussed whether they were going to buy carpets or not. Those people said something like, "How is the quality?" or "Is the carpet worth 10,000 dollars?" Ten minutes later, however, all those people disappeared without buying anything. Bill Wasik said that he had wanted to have the general public to take part in something unimportant and did the experiment to see what would happen.

The word "mob" usually means a large noisy crowd, especially one that is angry and violent. Flash mobs are not angry or violent, though. The term "flash mob" is generally not applied to events and performances organized for the purposes of such as demonstrations and commercial advertisement. People who take part in a flash mob enjoy the action itself.

Why do the flash mobs draw people's attention? In Russia, flash mobs are popular all over the country now, and more than 200,000 people have participated in them. One time, someone used SNS to get people to blow soap bubbles, and more than 1,000 people took part. A young man who took part in it said that everyone felt a sense of equality. Bill Wasik, the inventor of flash mobs said, "I never imagined that the mischief* I began would have spread so widely around the world."

*satire： 風刺
*mischief： いたずら

(26) What is one feature of a flash mob?
1 The acts done by them don't seem very important.
2 The people come to a place at different times.
3 The people perform a certain act usually for a long time.
4 Their performances are always artistic.

(27) What did the first flash mob do in the department store?
1 People decided which carpet to buy within ten minutes.
2 People disagreed with the price increases of carpets.
3 People discussed whether they should buy the carpets or not.
4 People discussed which the best carpet in the store was.

(28) The word "mob" usually means
1 a small crowd of people that takes part in demonstrations.
2 a large group of angry people.
3 a small crowd that is very happy.
4 a large group of people organized by the government.

(29) What does Bill Wasik think about flash mobs?
1 Flash mobs became popular in Russia, as he expected.
2 He thinks that flash mobs are serious event planners.
3 He regrets that he invented the flash mob.
4 He has never expected that flash mobs would become so popular.

5

● あなたは，外国人の知り合い(Alex)から，E メールで質問を受け取りました。この質問にわかりやすく答える返信メールを，□に英文で書きなさい。
● あなたが書く返信メールの中で，Alex の E メール文中の下線部について，あなたがより理解を深めるために，下線部の特徴を問う具体的な質問を 2 つしなさい。
● あなたが書く返信メールの中で□に書く英文の語数の目安は 40 語～50 語です。
● 解答欄の外に書かれたものは採点されません。
● 解答が Alex の E メールに対応していないと判断された場合は，0 点と採点されることがあります。Alex の E メールの内容をよく読んでから答えてください。
● □の下の Best wishes, の後にあなたの名前を書く必要はありません。

Hi!
How's everything going? The other day, my father bought me a camera for my birthday. I was so happy because it was the present I had hoped to have. I took lots of pictures with it last week. Taking pictures is great fun for me and I would like to take pictures of you someday in Japan. Do you think that cameras would become more popular in the future?

Your friend,
Alex

Hi, Alex!
Thank you for your e-mail.

解答欄に記入しなさい。

Best wishes,

6

- あなたは，外国人の知り合いから以下の QUESTION をされました。
- QUESTION について，あなたの意見とその理由を２つ英文で書きなさい。
- 語数の目安は 50 語～ 60 語です。
- 解答欄の外に書かれたものは採点されません。
- 解答が QUESTION に対応していないと判断された場合は，０点と採点されることがあります。QUESTION をよく読んでから答えてください。

QUESTION
Do you think more Japanese students will study abroad in the future?

準2級模擬試験｜リスニング

TR 45 ～ TR 77

学習日	解答時間	正解数
／	約 25 分	問 30 問中

※問題形式などは変わる場合があります。

①このリスニングには第1部から第3部まであります。
★英文はすべて一度しか読まれません。
第1部：対話を聞き，その最後の文に対する応答文として最も適切なものを，放送される 1，2，3 の中から一つ選びなさい。
第2部：対話を聞き，その質問に対して最も適切なものを 1，2，3，4 の中から一つ選びなさい。
第3部：英文を聞き，その質問に対して最も適切なものを 1，2，3，4 の中から一つ選びなさい。
② No. 30 のあと，10 秒すると試験終了の合図がありますので，筆記用具を置いてください。

第1部

TR 46 ～ 55

No. 1 ～ No. 10（選択肢はすべて放送されます。）

No.1 TR 46

No.2 TR 47

No.3 TR 48

No.4 TR 49

No.5 TR 50

No.6 TR 51

No.7 TR 52

No.8 TR 53

No.9 TR 54

No.10 TR 55

第2部 🔊 TR 56 〜 66

No.11 🔊 TR 57

1 She is not hungry.
2 She ate something bad at lunch.
3 She is upstairs.
4 She is waiting for dinner.

No.12 🔊 TR 58

1 Go home to get extra money.
2 Look for something cheap at the store.
3 Give up shopping.
4 Go to a different store.

No.13 🔊 TR 59

1 Next Saturday.
2 On Tuesday, next week.
3 Next Thursday morning.
4 He won't go there next week.

No.14 🔊 TR 60

1 Get on the train.
2 Phone her grandmother.
3 Find her seat.
4 Wait for her father.

No.15 🔊 TR 61

1 They are going to see the new movie.
2 They are not going to do anything.
3 They are going to take some pictures.
4 They are going to the sea together.

No.16 TR 62

1 At Mr. Murton's apartment.
2 In an airplane.
3 At a hotel.
4 At a school.

No.17 TR 63

1 He likes table tennis better than soccer.
2 He likes outdoor sports better than indoor sports.
3 He likes soccer better than baseball.
4 He likes table tennis as much as soccer.

No.18 TR 64

1 Perform in the musical.
2 Buy three tickets for the rock concert.
3 Sell all the tickets he has.
4 Buy tickets for the musical.

No.19 TR 65

1 Tell Ms. Jones that Mary will call her back.
2 Come to her office at two.
3 Call her back later.
4 Leave the office around noon.

No.20 TR 66

1 Tell her how long it takes to go to ABC Bank.
2 Tell her the place where the white building is located.
3 Tell her how to get to ABC Bank.
4 Tell her the way to the police station.

第3部 TR 67 ～ 77

No.21 TR 68

1 He is a professional tennis player.
2 He is a national champion of golf.
3 He is a high school gym teacher.
4 He teaches tennis at an elementary school.

No.22 TR 69

1 You have to pay more money if you use LCCs.
2 If you use LCCs, you cannot eat or drink for free.
3 You can get many kinds of services.
4 You cannot reserve your seat.

No.23 TR 70

1 He is interested in the culture.
2 He likes Southeast Asia very much.
3 He has never traveled abroad.
4 He doesn't like Europe.

No.24 TR 71

1 Give his father a gift.
2 Decide what to buy for his father.
3 Celebrate Father's Day.
4 Buy a belt for his father.

No.25 TR 72

1 Listen to music with an old man.
2 Talk with a writer.
3 Read a popular novel.
4 Introduce a new movie actor to the listeners.

No.26 TR 73

1 It is the largest bird in the world.
2 It continues to live in one place.
3 It can fly faster than any other bird.
4 It can stay in the air.

No.27 TR 74

1 People can't go to a different floor.
2 The customers can't leave the store.
3 People can't use the elevator for a while.
4 The salespeople at the department store aren't working today.

No.28 TR 75

1 They were noisy.
2 They were not allowed to do their homework there.
3 They were singing a song.
4 They couldn't find the right answer to their homework.

No.29 TR 76

1 There are not many spots that tourists want to visit.
2 It's not a good country for people who like fishing and water sports.
3 There are so many lakes.
4 It has a population of 3 million people.

No.30 TR 77

1 At 2:00.
2 At 2:30.
3 At 3:00.
4 At 3:30.

筆記

1

問題	(1)	(2)	(3)	(4)	(5)	(6)	(7)	(8)	(9)
解答	4	1	3	3	1	3	4	4	4

問題	(10)	(11)	(12)	(13)	(14)	(15)	小計
解答	2	1	1	2	2	4	/15

2

問題	(16)	(17)	(18)	(19)	(20)	小計
解答	2	4	3	4	1	/5

3

問題	(21)	(22)	小計
解答	3	1	/2

4

	[A]			[B]				
問題	(23)	(24)	(25)	(26)	(27)	(28)	(29)	小計
解答	3	1	4	1	3	2	4	/7

5 解答 152 ページ参照。

6 解答 153 ページ参照。

リスニング

第1部

問題	1	2	3	4	5	6	7	8	9	10	小計
解答	1	3	2	3	1	2	1	3	2	1	/10

第2部

問題	11	12	13	14	15	16	17	18	19	20	小計
解答	3	4	2	2	1	3	2	4	1	3	/10

第3部

問題	21	22	23	24	25	26	27	28	29	30	小計
解答	3	2	1	4	2	4	3	1	3	4	/10

合計
/61

1 (問題編 p.122 ~ 125)

(1) 正解 4

訳 A:今朝, 自動車事故があったんだ。
B:知っているよ。たくさんの人が見てたよ。

解説 car の後ろについて意味を作る単語を探す。a car accident「交通事故」。

1. tournament「**勝ち抜き試合**」 **2.** scream「**叫び**」 **3.** medicine「**薬**」 **4.** accident「**事故**」。

(2) 正解 1

訳 彼にはさまざまな種類の仕事をしている多くの友人がいる。いろいろな仕事の話を聞くことは彼にとっておもしろい。

解説「( )種類の仕事」に当てはまる形容詞を探す。

1. various「**さまざまな**」 **2.** nuclear「**核の**」 **3.** direct「**直接の**」 **4.** actual「**本当の**」。

(3) 正解 3

訳 その失敗はリュウスケによって引き起こされたので, 彼はその損害をつぐなわなければならなかった。しかし, 彼は十分なお金を持っていなかった。

解説 失敗したことでつぐなわなければならないものを考える。

1. distance「**距離**」 **2.** detail「**詳細**」 **3.** damage「**損害**」 **4.** degree「**程度**」。

(4) 正解 3

訳 A:お父さん, テッドはどこにいるんだろう。
B:知らないよ。彼の携帯電話にかけてみよう。

解説 where Ted is「テッドがどこにいるのか」が続く動詞を見つける。

1. advertise「**広告をする**」 **2.** regret「**後悔する**」 **3.** wonder「**~かしらと思う**」 **4.** mistake「**間違える**」。

(5) 正解 1

訳 A:明日は晴れると思う?
B:たぶんだめだろう。お父さんが明日は雨だと言っていたよ。

解説「晴れると思うか」という **A** の質問に対し, **B** は最後に「父が言うには雨だ」と回答しているので,「たぶん晴れないだろう」と言っていることが想像できる。

1. probably「**たぶん**」 **2.** quietly「**静かに**」 **3.** recently「**最近**」 **4.** shortly「**まもなく**」。

(6) 正解 3

訳 ウェンディは，聴衆にボランティア活動の重要性について話した。多くの人々は彼女に賛成だった。

解説 「ボランティア活動の重要性について(　)に話した」。演説の対象となり得る名詞を見つける。

1. prize「**賞**」 **2.** danger「**危険**」 **3.** audience「**聴衆，観客**」 **4.** grade「**等級**」。

(7) 正解 4

訳 **A**：きみの**住所**を聞いてもいいですか，アン。

B：もちろんよ，ジャック。でもお願いだからだれにも教えないでね。

解説 アンの何かをたずねている。当てはまる単語を選ぶ。

1. climate「**気候**」 **2.** reach「**範囲**」 **3.** noise「**雑音**」 **4.** address「**住所，演説**」。

(8) 正解 4

訳 フミコは科学が得意だ。あるテストで彼女の解答には**一つの**誤りもなかった。

解説 科学の得意なフミコの解答には「(　)のミスもなかった」となるよう，適する形容詞を選ぶ。be good at ～「～が得意だ」。

1. several「**いくつかの**」 **2.** similar「**似た**」 **3.** short「**短い**」 **4.** single「**ただ一つの**」。

(9) 正解 4

訳 **A**：これの支払いにクレジットカード使えるかしら？

B：申し訳ありません，お客様。当店では現金のみ**受け付け**ております。

解説 クレジットカード使用の可否について聞かれ「申し訳ありません」と言っているので，「現金だけ受け付ける」と考えられる。**1.** generate「**生み出す**」 **2.** waste「**浪費する**」 **3.** suggest「**提案する**」 **4.** accept「**受け付ける**」。

(10) 正解 2

訳 リチャードはいつも私の英語の技量をからかう。しかしながら，彼が最初に日本に来たときは，私の名前を正確に**発音**できなかった。

解説 人の語学力をからかうリチャードも，かつては人の名前を正確に(　)できなかった，という内容。**1.** purpose「**決意する**」 **2.** pronounce「**発音する**」 **3.** project「**映写する**」 **4.** perform「**達成する**」。

(11) **正解 1**

訳 A：何かあったのかい，テッド？

B：お願いだから**放っておいて**くれ。だれとも話したくないんだ。

解説 Is anything wrong with you? は様子のおかしい相手に「何かあったの」と聞く表現。だれとも話したくないときに何と答えるか考える。

1. leave「**放っておく，去る**」, Leave me alone.「**放っておいてくれ**」 **2.** miss「**損なう**」 **3.** order「**注文する**」 **4.** pull「**引く**」。

(12) **正解 1**

訳 このゲームでは３人が**交代に**カードを引く。

解説「(　)カードを引く」の空所に当てはまる熟語を見つける。**1.** in turn「**交代に**」 **2.** on purpose「**わざと**」 **3.** in reality「**実際に**」 **4.** on business「**仕事で**」。

(13) **正解 2**

訳 A：すみません，この辺りに公園があるかどうかご存じですか。

B：はい，**実際**，今からそこに行くつもりです。もしよかったら，一緒に来てください。

解説 fact にくっついて，熟語を作る前置詞を見つける。in fact「**実際**」。

(14) **正解 2**

訳 A：ジェーン，私は仕事で札幌に行かなければならないの。

B：だったら，あなたのために猫の**世話**をするわ，ユミ。

解説 しばらく家を空けるユミの猫の世話をジェーンがどうすると言っているのか考える。**1.** issue「**発行**」 **2.** care「**世話**」, take care of ～「**～の世話をする**」 **3.** habit「**習慣**」 **4.** plenty「**たくさん**」。

(15) **正解 4**

訳 A：天気予報**によると**，明日の午後は雨らしいよ，母さん。

B：傘を忘れずに持って行きなさいね。

解説「天気予報によると」という意味の熟語を見つける。

1. instead of ～「**～の代わりに**」 **2.** because of ～「**～のせいで**」 **3.** speaking of ～「**～と言えば**」 **4.** according to ～「**～によると**」。

2 （問題編 p.126 ～ 127）

(16) **正解** 2

訳 A：やあ，アラン。明日のパーティーにはどうやって行くつもりだい？

B：自分の車を使うよ。

A：ああ，そうなの？ **ぼくを乗せてくれないかな？**

B：もちろん，お安い御用さ。

解説 Bが最後にNo problem. と答えていることから，パーティーに行くことに関して，何かお願いをしていることが分かる。**1.**「**ちょっと待ってくれる**」 **3.**「**おじさんに聞いたらどう**」 **4.**「**少しスピードを落としてくれない**」。

(17) **正解** 4

訳 A：すみません。**3人用の席をお願いしたいのですが。**

B：申し訳ありませんが今，席は満席です，お客様。

A：そう，どのくらい待つのかな？

B：10分はかかりません。あちらの椅子にお掛けください。

解説 Bが「満席です(our tables are full)」と言っていることから，店に入ろうとしていることが分かる。**1.**「**予約しています**」 **2.**「**メニューをお願いします**」 **3.**「**カードを使えるとありがたいのですが**」。

(18) **正解** 3

訳 A：お父さん，明日朝5時に起こしてくれない？

B：5時だって？ 明日は日曜日だろう？

A：ええ，東北にボランティアの活動に行くの。

B：分かった。**任せなさい。**

解説 子どもの「5時に起こして」というお願いに対し，父は2番目の発言で「分かった」と言って了承している。leave「放っておく，去る」，leave it to [with] ～で「～に任せる」。

1.「**あなたには関係ありません**」 **2.**「**そのとおりです**」 **4.**「**見ているだけです**」。

(19) **正解** 4 (20) **正解** 1

訳 A：あら，テッペイ。調子はどう？

B：やあ，キャシー。調子いいよ。**久しぶりだね。**

A：お昼をいっしょにどう？

B：いいよ，どこへ行こうか？

A：角のイタリアンレストランはどう？ 安くて多くの種類のピザがあるわよ。

B：ええと，実を言うとね，**あまりイタリア料理を食べる気分ではないんだ。**

A：だったら，あそこの中華料理店にしましょう。

B：それはいいね。中華料理は大好きなんだ。

解説 **(19)** あいさつの言葉として適したものを選ぶ。Long time no see. は「**長い間会っていませんね**」。**1.**「**あなた次第です**」 **2.**「**私もそうです**」 **3.**「**顔色悪いね**」。

(20) イタリアンレストランでの食事に誘われた **B** の，「実を言うと」に続く空所のあと，**A** が提案を中華料理店に変えていることから考える。**1** の be not in the mood to *do* で「**～する気分でない**」。**2.**「**それは得意ではない**」 **3.**「**時間がないんだ**」 **4.**「**すぐに行かなくちゃいけないんだ**」。

3 （問題編 p.128 ～ 129）

訳

サンドラの新しい電動自転車

サンドラはよく自転車に乗る。彼女は買い物に行ったり，友人の家を訪れたりするためにほとんど毎日自転車に乗る。彼女と夫のデーブは車を 1 台持っていて，彼女は運転免許を持っているが，デーブが車で通勤するので，彼女はめったに車を使わない。彼女が自転車にそれほど頻繁に乗るもう一つの理由は，彼女には運動が必要だということだ。二人の子どもをもうけたあと，彼女は太りはじめた。自転車に乗ることは彼女にとっていい運動になるのだ。

しかし困ったことに，サンドラが住んでいる街には丘がたくさんある。自転車でこうした丘を登るのは厄介である。さらに，彼女は今年 50 歳になり，自転車で丘を登ったあとは疲れ切ってしまうように感じはじめた。そこで，彼女は電動アシスト自転車を買うことに決め，昨日それを購入した。今日，彼女は新しい自転車に初めて乗る予定だ。電動自転車に乗れば，彼女は丘を登るとき，もう強くペダルをこぐ必要はないのだ。

(21) 正解 3

解説 空所のあとに，「夫のデーブが車で通勤するので…」という理由が書かれている。つまりサンドラは車を使わない，または使う頻度が少ないことを表す文が入ると予想できる。したがって，正解は **3.** rarely uses「**めったに使用しない**」。なお，rarely「めったに～しない」の同義語には seldom がある。

1. often rides「**しばしば乗る**」 **2.** safely stops「**安全に止まる**」 **4.** usually checks「**たいてい確認する**」。

(22) 正解 1

解説 空所の前に，サンドラは「50 歳になって，自転車で丘を登ったあとは疲れを感じはじめた」とあることに注目。ここから，電動自転車を買うことに決めた，という内容につながる。よって，**1.** decided to buy「**買うことに決めた**」が適切。

2. began to understand「**理解しはじめた**」 **3.** disliked to know「**知るのが嫌だった**」 **4.** explained to forgive「**許すために説明した**」。

4A （問題編 p.130 ～ 131）

訳

送信者：マイケル・ジョーンズ <michael-j@abccamera.com>
受信者：サミュエル・クーパー <sam-cooper@easymail.com>
日付：10 月 14 日
件名：誠に申し訳ございません。

クーパー様
先ごろ，当社のカスタマーサポート事務所にＥメールでご連絡いただき，ありがとうございました。はじめに，お客様の新しいカメラをご利用の際にお客様がご経験された問題につきまして，謝罪させていただきたく存じます。動画撮影の際に問題があるとのことで，誠に申し訳ございません。私どもは製品の品質を高く保つため懸命に努力しておりますが，ときどき，このようなことが起こってしまいます。
一般に，私どもは，お客様が電器店で購入された製品につきましてはいかなるものであれ，販売店へお持ちいただいて販売員に修理を依頼されるようお願いしております。しかしながら，今回の場合，動画撮影の機能がそのような重要なときに機能しなかったとのことですので，私はできるだけすみやかにお客様のカメラの問題処理を進めたいと思っております。お客様が結婚式を記録する機会を失ってしまった償いをできないことは承知しておりますが，もし，そのカメラをこのメールの末尾の住所にお送りくだされば，私自らが，できるだけすみやかにそのカメラを点検して修理（または交換）するよう手配いたします。
もしお客様のお役に立てることがほかに何かございましたら，どうぞ遠慮無くご連絡ください。
敬具，
マイケル・ジョーンズ
ABC カメラ株式会社
カスタマーサポート

19609　ペンシルベニア州，ウェスト・ローン
カーチスロード 2910

(23) 正解 3

質問訳 マイケル・ジョーンズがこのEメールを送った理由の一つは何ですか。

選択肢訳 **1 顧客が教えてくれた情報に感謝するため。**

2 彼にはカメラを修理することができないと答えるため。

3 カメラの問題点について顧客に謝罪するため。

4 カメラは故障していないことを顧客に伝えるため。

解説 Eメールの冒頭はThank youで始まっているが，本題は感謝の意を表すものではなく，第2文でFirst of all, please allow me to apologize **...** とあるように，顧客の買ったカメラに不具合があったことに対する謝罪である。したがって**3**が正解。件名(Subject)のI'm very sorry.も重要なヒントである。

(24) 正解 1

質問訳 ABCカメラで買った電化製品に問題があった場合，顧客は……

選択肢訳 **1 ふつう，店員にたずねることになっている。**

2 いつもそれを工場に送るべきである。

3 いかなるときでもそれを新品と交換することができる。

4 いつもマイケル・ジョーンズに連絡しなければならない。

解説 購入品に問題がある場合の通常の対応は，第2段落第1文に書かれている。we ask customers to **...** 以下が，ABCカメラが客にするように頼んでいること。「購入した店に製品を持って行く」「販売員に修理を頼む」とあるので，**1**が正解。

(25) 正解 4

質問訳 サミュエル・クーパー氏はこのEメールを読んだあと，おそらくどうしますか。

選択肢訳 **1 新しいカメラを買うために店に行く。**

2 マイケル・ジョーンズが新しいカメラを彼に送るのを待つ。

3 店員に電話をしてカメラを直してくれるように頼む。

4 マイケル・ジョーンズが指定した住所にカメラを送る。

解説 第2段落の最後から2番目の文でBut if you send the camera to the address at the end of this email, … とあるように，マイケル・ジョーンズはEメールの最後に住所を示し，そこへ直接，クーパー氏が購入したカメラを送るよう依頼している。したがって選択肢**4**が正解。最後から2番目のaddressはEメールのアドレスではなく，「住所」の意味であることに注意。

4B （問題編 p.132 ～ 133）

フラッシュモブ

フラッシュモブとは，公共の場所に正確に同じ時間に突然集まり，一風変わった，そして見たところ無益な行動を披露し，その後，同時にすみやかに解散し，帰ってしまう人々の集団のことである。これらの行動の目的はしばしば，娯楽や風刺，そして芸術的表現であったりする。彼らはインターネットによって組織を作る。

最初のフラッシュモブは，2003 年に雑誌記者のビル・ワジクによってニューヨークで形成された。マンハッタンの高級百貨店の絨毯（じゅうたん）売り場で，たくさんの人たちが突然現れ，絨毯を買うか買わないかについて議論をしたのだ。人々は，「品質はどうだろうか」とか「その絨毯は 1 万ドルの価値があるだろうか」などというようなことを話していたが，10 分後，人々はすべて，何も買わずにいなくなってしまった。ビル・ワジクは一般の人々に呼びかけて何か重要でないことに参加させ，どうなるかを見るために実験しようとしたのだ，と言った。

“mob” という語はふつう，大勢の騒がしい群衆，とくに怒った狂暴な人々の集まりを意味する。しかし，フラッシュモブは怒ってもいなければ狂暴でもない。「フラッシュモブ」は一般に，デモや商業広告のような目的のために組織されたイベントや公演を指す場合には使われない。フラッシュモブに参加する人々は，その行為自体を楽しんでいるのだ。

なぜフラッシュモブは人々の関心を引くのだろうか。ロシアでは現在，フラッシュモブが国中で人気となり，これまでに 20 万人を超える人々が参加してきた。あるとき，だれかが SNS を利用して人々にシャボン玉を吹かせ，1,000 人以上の人々がそれに加わった。参加したある若者は，だれもが平等意識を感じることができると語った。フラッシュモブの創作者であるビル・ワジクは，「私がはじめたいたずらがこれほど世界中に広がるとは想像もしていなかった」と語っている。

---

(26) 正解 1

質問訳 フラッシュモブの特徴の一つは何ですか。

選択肢訳
1 彼らによって行われる行動はあまり重要ではないように思える。
2 人々は異なった時間にやって来る。
3 人々はふつう，長時間ある行動をする。
4 彼らの行動はいつも芸術的である。

解説 第 1 段落の第 1 文で，perform an unusual and apparently useless act for a short time「短時間で無益に見えるふつうではない行動をする」とあるので選択肢 **1** が正解。

(27) 正解 3

質問訳 最初のフラッシュモブは百貨店で何をしましたか。

選択肢訳
1 人々は10分以内にどの絨毯を買うか決めた。
2 人々は絨毯の値上げに反対した。
3 人々は絨毯を買うべきかどうかについて話し合った。
4 人々はその店で最もよい絨毯はどれであるかについて議論した。

解説 第2段落第2文に，many people suddenly appeared and discussed whether they were going to buy carpets or not. とある。〈whether S + V ～ or not〉は「Sが～するかどうか」の意。この内容と一致する選択肢**3**が正解。

(28) 正解 2

質問訳 "mob" という語の通常の意味は……

選択肢訳
1 デモに参加する小さな集団の人々。
2 怒っている大勢の人々。
3 とても幸せな小集団の人々。
4 政府によって組織された大勢の人々。

解説 第3段落の冒頭に，The word "mob" usually means a large noisy crowd, especially one that is angry and violent. とある。怒って狂暴性のある大勢の群衆のことを指すので，選択肢**2**が最も適切。

(29) 正解 4

質問訳 ビル・ワジクはフラッシュモブについてどのように考えているか。

選択肢訳
1 フラッシュモブは，彼の予想したように，ロシアで人気を集めた。
2 彼は，フラッシュモブは真面目なイベントの企画者だと考えている。
3 彼はフラッシュモブを作り出したことを後悔している。
4 彼はフラッシュモブがこんなに人気を集めるとは決して予想していなかった。

解説 第4段落の最終文に，ビル・ワジクが語った言葉として，I never imagined that the mischief I began would have spread so widely around the world. とある。the mischief I began とは，第2段落で説明されている最初のフラッシュモブのことなので，選択肢**4**が正解。彼は，あまり意味のないことを人々にやらせてみて，どうなるかを実験してみたかっただけなのに，世界的に流行しはじめたことに驚いている。

5 （問題編 p.134）

（問題編 p.134）

訳

やあ！
調子はどうだい？　先日，父さんがぼくの誕生日にカメラを買ってくれたんだ。ずっと欲しかったプレゼントだったのでとてもうれしかったよ。先週そのカメラでいっぱい写真を撮ったんだ。ぼくにとって写真を撮ることはとても楽しくて，いつか日本できみの写真を撮りたいよ。将来，カメラはより人気が出るときみは思うかい？

きみの友人，
アレックス

解答例

I'm glad to hear that you are enjoying taking pictures. 質問① What kind of pictures do you like to take? 質問② And is it easy for you to carry the camera with you? 相手への返答 About your question, in my view, cameras don't become more popular. Because we can take great pictures by smartphones.　(50 語)

解答例訳

写真撮影を楽しんでいると聞いてうれしいよ。どんな写真を撮るのが好きなの？　あとそのカメラってきみが持ち運ぶのは簡単なの？　きみの質問についてだけど，ぼくの考えだと，カメラがより人気になることはないのではないかな。なぜかというとスマートフォンですばらしい写真が撮れるからね。

ワンポイントアドバイス

意見を述べるときに会話でも文でも I think ～ではなく in my view（私の意見では＝ in my opinion）を使うことをお勧めします。自分の意見を言う際，皆さんが将来目指す英検 1 級においても in my view は評価されます。

6 (問題編 p.135)

QUESTION 訳

あなたは，将来より多くの日本人学生が留学すると思いますか？

解答例

意見I think less Japanese students will study abroad. I have two reasons. 理由①First, Japan is one of the safest countries in the world. Many students will hesitate to study abroad when they think about the danger in foreign countries. 理由②Second, some Japanese students cannot communicate well with strangers. For these reasons, I think less Japanese students will study abroad. (59 語)

解答例訳

私は，留学する日本人学生は少なくなると思います。理由は2つあります。1つ目は，日本は世界で最も安全な国の一つだからです。多くの学生は外国の危険を考えると留学するのをためらうでしょう。2つ目は，日本人学生の中には，知らない人としっかりとコミュニケーションを取り合うことができない人がいます。これらの理由により，私は留学する日本人学生は少なくなると思います。

第1部 (問題編 p.136)

No.1 正解 1

TR 46

放送文

A: Where do you want to go, Erica, the sea or the mountains?

B: I'd like to go to both of them, Dad.

A: What do you say to going to a lake in the mountains?

選択肢

1. Great idea! I'd love to do that.
2. I didn't say anything about it.
3. I have to say good-bye now.

放送文訳

A：どこに行きたいの，エリカ，海かい，それとも山かい？

B：両方に行きたいわ，お父さん。

A：山の中にある湖へ行くのはどう？

選択肢訳

1. **すばらしい考えね。ぜひそうしたいわ。**
2. **それについては何も言わなかったわ。**
3. **もうお別れしなくっちゃいけないわ。**

解説 男性は2番目の発話で，What do you say to *do*ing ～？「～するのはどうですか」という提案を表す疑問文で質問している。これに答える文を選ぶので，この提案に賛成または反対を表明している文が正解になる。したがって選択肢**1**が正解。

No.2 正解 3

TR 47

放送文

A: Good afternoon. Big Horn Steak House.

B: I'd like to reserve a table for dinner for five people this evening.

A: What time will you be arriving?

選択肢

1. It's two thirty now.
2. We'll leave home at five.
3. Sometime around six thirty.

放送文訳

A：こんにちは。ビッグホーンステーキハウスです。

B：今晩，夕食の席を5人分予約したいのですが。

A：何時にいらっしゃいますか。

選択肢訳

1. **今，2時30分です。**
2. **私たちは5時に家を出発します。**
3. **6時30分ごろです。**

解説 女性の2番目の発話は，レストラン側の人間が客に到着する時刻を聞いている。選択肢**1**は現在の時刻を答えており，選択肢**2**は客が家を出発する時刻を答えているので不適切。したがって正解は選択肢**3**。sometime around は，直後に時を表す語句や数詞を続けて，「～ごろ」の意味を表す。

No.3 正解 2

TR 48

放送文

A: It's hot in this room.

B: Yes, especially in the morning, because there are a lot of windows on the east side.

A: Do you mind my opening the windows?

選択肢

1. Yes, you will.
2. Of course not.
3. What's on your mind?

放送文 訳

A：この部屋は暑いですね。

B：ええ，とくに朝はね。なぜなら東側に窓がたくさんあるからね。

A：窓を開けてもかまいませんか？

選択肢訳

1. はい，あなたはするでしょう。
2. もちろん，かまいません。
3. 何を考えているのですか。

解説 男性は２番目の発話で，Do you mind my *do*ing?「～してもかまいませんか」と相手に許可を求めている。mind *do*ing は「～することを気にする，いやだと思う」という意味。したがって，了承する場合は，Of course, not. / Not at all. / No, go ahead. / No, I don't mind. などで答える。また，了承しない場合は，(Yes,) I mind. / Well, I'd rather you didn't. などと言う。

No.4 正解 3

TR 49

放送文

A: Hello, East High School.

B: Hello, this is Fred Owen. Would you tell Mr. Bott that I cannot come to school today?

A: What's wrong with you?

選択肢

1. I'm not good at history and Spanish.
2. I'm afraid you have the wrong number.
3. I have a headache.

放送文 訳

A：もしもし，イーストハイスクールです。

B：もしもし，フレッド・オーエンです。今日は学校へは行けません，とボット先生に伝えていただけますか？

A：どうしましたか？

選択肢訳

1. ぼくは歴史とスペイン語が苦手です。
2. 電話番号をお間違えのようですね。
3. 頭痛がするんです。

解説 フレッドは学校に電話し，今日欠席する連絡をしている。女性は学校側の人物であることを把握する。女性の２番目の発話，What's wrong with you? は相手の体調について，どこか具合が悪いのかとたずねるときに使う。headache「頭痛」。

No.5 正解 1

TR 50

放送文

A: Help yourself and enjoy the barbecue.

B: Thank you, but I'm not so hungry.

A: Come on, don't be shy. Please get a plate.

選択肢

1. OK. Thanks.
2. Yes, it's me.
3. How much is the barbecue?

放送文 訳

A：バーベキューを自由にとって楽しんでください。

B：ありがとう，でも私はあまりおなかがすいていないんです。

A：まあまあ，遠慮しないで。お皿をとってください。

選択肢訳

1. **分かりました。ありがとう。**
2. **はい，私です。**
3. **バーベキューはいくらですか？**

解説 男性の最初の発言のHelp yourselfは「(食べ物や飲み物を)自由にとって食べて[飲んで]ください」と相手に勧めるときに用いる慣用句。「自分自身を助ける」という意味ではない。また，shyは「ためらう」という意味。男性がバーベキューを食べるよう勧めていることが聞き取れれば，正解が選択肢**1**であると分かる。plate「皿」。

No.6 正解 2

TR 51

放送文

A: Bill, did you finish all your homework for science class?

B: No, I only did the reading, Lisa. I didn't answer the questions yet.

A: I didn't either. Why don't we work on them together?

選択肢

1. Yes, I finished reading all the homework pages.
2. That would be great.
3. No, you don't.

放送文 訳

A：ビル，理科の授業の宿題は終わったの？

B：いや，まだ読んだだけだよ，リサ。問題はまだ解いていないんだ。

A：私もよ。いっしょに問題を解いてみない？

選択肢訳

1. **うん，ぼくは宿題の全ページを読み終えたよ。**
2. **それはいいね。**
3. **いいや，きみはしない。**

解説 リサの２番目の発話のWhy don't we ～？は「～しませんか」と相手を誘うときに使う慣用句。これに適切に答えているのは選択肢**2**のみ。**2**のThatは直前に相手が言った内容を指す。なお，Why don't we ～？はWhy not ～？とも言う。work on ～「～に取り組む」。

No.7 正解 1

TR 52

放送文

A: Hello, Susie. I'm wondering if you'd like to go out for dinner.

B: Sure. I'm hungry. Do you know any good restaurants?

A: Yes, I know a good Chinese restaurant. Let's go there.

選択肢

1. How do we get there?
2. What time did you eat?
3. I don't want to eat anything now.

放送文 訳

A：やあ，スージー。夕食を食べに行きたくない？

B：いいわよ。私，おなかがすいているし。どこかいいレストランを知っている？

A：うん，いい中華レストランを知っているよ。そこへ行こう。

選択肢訳

1. **そこへはどう行くの？**
2. **何時に食べたの？**
3. **今は何も食べたくないわ。**

解説 男性の最初の発話 I'm wondering ～は「～かなあ[かしら]」という意味だが，後ろに if you'd like to *do* が続くと「～したくありませんか？」という婉曲（えんきょく）的な勧誘の表現になる。２人のやりとりから，男性がどこの中華レストランに行こうとしているか，女性はまだはっきりと分からないことが読み取れる。Let's go と言う男性に対して，レストランまでの行き方をたずねる選択肢 **1** が正解。

No.8 正解 3

TR 53

放送文

A: May I help you, ma'am?

B: Yes. I'm looking for a sweater for my husband.

A: All our men's clothes are in this section. What kind of sweater are you interested in?

選択肢

1. I like all kinds of shirts.
2. I'm interested in Japanese history.
3. I'd like to have something warm for the winter.

放送文 訳

A：何かお探しですか？

B：はい。夫のためにセーターを探しているのですが。

A：紳士用の衣類はすべてこのコーナーにございます。どのようなセーターに関心がありますか？

選択肢訳

1. **私はあらゆる種類のシャツが好きです。**
2. **私は日本史に興味があります。**
3. **冬用の暖かいのが欲しいのです。**

解説 紳士服売り場での客と店員の会話であることに気づくことがポイント。May I help you? は「いらっしゃいませ」，「何かお探しですか」，「ご用件を承りますが」などの意味で，店員が客に声をかけるときの決まり文句。店員は２番目の発話の後半で，「どのような種類のセーターに関心があるのか」を聞いているので選択肢 **3** が正解。

No.9 正解 2

TR 54

放送文

A: Good afternoon. Front desk. Can I help you?

B: Yes. There's something wrong with the air-conditioner. Can you send someone to fix it? This is Dorothy Williams in Room 238.

A: Would it be all right if I send someone to your room in a few minutes?

選択肢

1. OK. I'll be ready to check out soon.
2. Sure. I'll be waiting here.
3. I'll try to fix it anyway.

放送文 訳

A：こんにちは，フロントです。どうなさいましたか？

B：はい，エアコンの調子が悪いのです。修理する人を呼んでいただけませんか？　こちらは238号室のドロシー・ウィリアムズです。

A：数分後にお客様のお部屋にうかがわせますがよろしいですか？

選択肢訳

1. **ええ。すぐにチェックアウトの準備をします。**
2. **はい。ここで待っています。**
3. **とにかく私が直してみます。**

解説 男性の２番目の発話のWould it be all right if ～？は「～してもよろしいでしょうか」という意味。選択肢はどれも承諾する応答に見えるが，電話に出たフロント係が，客の部屋へエアコンを修理する人を送ってもよいか，と聞いていることに対する応答として適切なのは選択肢**2**。

No.10 正解 1

TR 55

放送文

A: The weather has been terrible this week!

B: Yeah. I've never seen so much rain in one week.

A: It was bad last year during the rainy season, but nothing like this.

選択肢

1. Really? I don't remember what the weather was like last year.
2. I like it when it snows.
3. I think it'll rain tomorrow.

放送文 訳

A：今週の天気はひどかったね。

B：ええ，私は一週間でこんなに雨が降ったのを見たことがないわ。

A：去年の雨期はひどかったけど，こんなふうではなかったよ。

選択肢訳

1. **本当？　去年の天気がどんなだったか私は覚えていないわ。**
2. **私は雪が降るときが好きよ。**
3. **私は明日雨だと思うわ。**

解説 天気についての会話。nothing like ～「～にははるかに及ばない」。また，最後の文のthisは「今週の雨」という意味で，男性は去年の雨期より今週の雨のほうがはるかに多い，と言っている。これに適切に応答しているのは選択肢**1**のみ。

第2部 （問題編 p.137 ～ 138）

No.11 正解 3

TR 57

放送文

A: John, dinner's almost ready!

B: Really? But we just had lunch about three hours ago.

A: But you didn't eat very much. Please wash your hands and tell Alice to come downstairs to eat.

B: But Alice is lying in bed because she doesn't feel well.

Question: What is one thing that we learn about Alice?

放送文 訳

A：ジョン，もう夕食ができるわよ！

B：本当に？　でも３時間ほど前に昼食を食べたばかりだよ。

A：でもあなたはあまり食べなかったでしょ。手を洗って，アリスに下へ降りてきて食べるように言ってよ。

B：けど，アリスは気分がよくないからベッドで寝ているよ。

質問：アリスについて分かることの一つは何ですか。

選択肢訳　**1.**　彼女は空腹ではない。　**2.**　彼女は昼食で何か悪いものを食べた。
3.　彼女は上の階にいる。　**4.**　彼女は夕食を待っている。

解説　女性は２番目の発話で男の子に対し，「アリスに下へ降りてきて(夕食を)食べるように言いなさい」と言っており，アリスが上の階にいることを示唆している。選択肢 **3** が正解。downstairs「階下へ」，upstairs「階上に，上階で」。

No.12 正解 4

TR 58

放送文

A: I can't believe how expensive these clothes are.

B: I know what you mean, honey. The prices are much higher than last summer.

A: Should we try another store?

B: Sure. I don't think we can find anything here that is cheap enough.

Question: What will the man and the woman probably do next?

放送文 訳

A：ここの衣類は信じられないほど高いね。

B：あなたの言いたいことは分かるわ。去年の夏よりずっと値段が高くなっているわね。

A：別の店に行ってみるべきかな？

B：ええ。ここでは十分に安いものは何も見つけられないと思うわ。

質問：男性と女性は次におそらく何をしますか。

選択肢訳　**1.**　追加のお金を取りに家に行く。　**2.**　その店で何か安い物を探す。
3.　買い物をすることをあきらめる。　**4.**　違う店へ行く。

解説　男性は２番目の発話で，「別の店へ行こうか」と提案している。女性が Sure.「ええ」と答えていることから，正解は選択肢 **4**。

No.13 正解 2

TR 59

放送文

A: Hello. Dr. Morgan's office.

B: Hello. This is Bob Scott speaking. I have an appointment for a blood test on Saturday. Can I change to another day next week?

A: Next week we have Tuesday afternoon or Thursday morning available.

B: Tuesday afternoon will be fine.

Question: When will Bob go to Dr. Morgan's office?

放送文 訳

A：もしもし。モーガン医院です。

B：もしもし。私はボブ・スコットと申します。土曜日に血液検査で予約しています。それを来週の別の日に変えられますか？

A：来週は火曜日の午後と木曜日の午前中が空いています。

B：火曜日の午後がいいです。

質問：ボブはいつモーガン医院に行くのでしょうか。

選択肢訳 **1.** **この次の土曜日。** **2.** **来週の火曜日。** **3.** **来週の木曜日の午前中。** **4.** **彼は来週はそこへ行かない。**

解説 選択肢はいずれも時を表す語句なので，「いつ，何が起きるか[起こったか]」に集中して放送文を聞くことが重要。ボブの２番目の発話に火曜日の午後がよい，とあるので，選択肢 **2** が正解。appointment「予約」，available「利用できる」。

No.14 正解 2

TR 60

放送文

A: Do you know your seat number on the train, Emily?

B: Yes, Dad. It's 9B, and the car number is 12.

A: Your grandma will be waiting for you at Green Hill Station.

B: Okay, I'll call her cell phone when I get there.

Question: What will Emily do when she arrives at Green Hill Station?

放送文 訳

A：列車の座席番号は分かっているのかい，エミリー？

B：ええ，お父さん。12 号車の 9B よ。

A：おばあちゃんがグリーンヒル駅で待っているよ。

B：ええ，駅に着いたらおばあちゃんの携帯電話に電話するわ。

質問：エミリーはグリーンヒル駅に着いたら何をするでしょうか。

選択肢訳 **1.** **電車に乗る。** **2.** **おばあさんに電話する** **3.** **座席を見つける。** **4.** **彼女の父親を待つ。**

解説 エミリーと，彼女を見送りに来た父親が駅で会話している，という背景を，対話文を聞きながら把握する。質問の答えはエミリーの２番目の発話中にある。

No.15 正解 1

TR 61

放送文

A: Hi, Jessica. Have you seen the new film?

B: Not yet, Greg. But I'm thinking of going to see it this weekend.

A: I haven't seen it, either, and I have nothing to do this weekend. Why don't we go together?

B: Sure, why not?

Question: What are they going to do this weekend?

放送文 訳

A：やあ，ジェシカ。あの新しい映画見た？

B：まだよ，グレッグ。でも今週末に見ようかと思っているの。

A：ぼくもまだ見ていないんだ，それに今週末はやることがないんだよ。いっしょに見に行かない？

B：もちろん，いいわよ。

質問：今週末に彼らは何をする予定ですか。

選択肢訳
1. 彼らは新作映画を見に行く。
2. 彼らは何もしない。
3. 彼らは何枚か写真を撮る。
4. 彼らはいっしょに海に行く。

解説 男女の友人同士の会話。会話中では「映画」を film と表現しているが，選択肢 **1** では movie となっている。放送文と選択肢では言い換えが頻繁に行われるので注意。

No.16 正解 3

TR 62

放送文

A: Hello. This is Albert Murton in Room 648. Did someone call me this afternoon while I was out?

B: Yes, Mr. Murton. Your daughter called at 4:30. She said she was going to call you again tonight.

A: Thank you. By the way, the toothpaste in my room ran out. Can I have another one?

B: I'll send one immediately, sir.

Question: Where is this conversation taking place?

放送文 訳

A：もしもし。648号室のアルバート・マートンと申します。今日の午後，私が外出中にだれか私に電話をくれましたか。

B：はい，マートンさん。娘さんから4時半にお電話がありました。今晩，もう一度おかけになるそうです。

A：ありがとう。ところで，歯磨き粉がきれてしまいました。新しいものをいただけますか。

B：すぐにお持ちします。

質問：この会話はどこで行われていますか。

選択肢訳
1. マートン氏のアパートで。
2. 旅客機内で。
3. ホテルで。
4. 学校で。

解説 Room 648 (648号室), 外出中に電話があったかどうかを内線電話で聞いている，歯磨き粉を持ってくるように求めている，などの状況からホテルでの会話と分かる。

No.17 正解 2

TR 63

放送文

A: Do you play any sports, Yumi?

B: Yes, I like playing table tennis, though I'm not very good at it. How about you, George?

A: Table tennis is OK, but I prefer outdoor sports like soccer and baseball.

B: So, you like outdoor team sports, don't you?

Question: What kind of sports does George like to play?

放送文 訳

A：ユミ，何かスポーツはするの？

B：ええ，あまりうまくないけど，卓球をするのが好きなの。あなたはどう，ジョージ？

A：卓球もいいけど，ぼくはサッカーや野球のような屋外スポーツのほうが好きだな。

B：なら，あなたは屋外のチームスポーツが好きなのね。

質問：ジョージはどんなスポーツをするのが好きですか。

選択肢訳
1. **彼はサッカーよりも卓球のほうが好きである。**
2. **彼は屋内スポーツよりも屋外スポーツのほうが好きである。**
3. **彼は野球よりもサッカーのほうが好きである。**
4. **彼はサッカーと同じくらい卓球が好きである。**

解説 男性の２番目の発話中の prefer ～ は，「～のほうが好きである」という意味。prefer outdoor sports とは，「屋外スポーツのほうが(屋内スポーツよりも)好きである」という意味。したがって選択肢 **2** が正解。

No.18 正解 4

TR 64

放送文

A: Can I help you, sir?

B: I'd like tickets for the musical next Sunday. Do you have any S tickets?

A: I'm sorry, the S tickets are all sold out. We have only A and B tickets left.

B: All right. I'll take three A tickets.

Question: What will the man do next?

放送文 訳

A：いらっしゃいませ。

B：今度の日曜日のミュージカルのチケットを買いたいのですが。S 席のチケットはありますか？

A：申し訳ありません，S 席は売り切れです。A 席と B 席のみあります。

B：分かりました。A 席を３枚ください。

質問：男性は次に何をしますか。

選択肢訳
1. **ミュージカルに出る。**
2. **ロックコンサートのチケットを３枚買う。**
3. **持っているチケットを売る。**
4. **ミュージカルのチケットを買う。**

解説 選択肢はすべて動詞で始まっているので，対話をしている人物の行動に注目。ここでは男性が S 席のチケットを買いたかったが，結局，A 席を買うことにした，という流れだが，ミュージカルのチケットを買うことが聞き取れればよい。

No.19 正解 1

TR 65

放送文

A: Hello, this is Mary Green. May I speak to Ms. Jones?

B: She is out now, and she will return around noon. Would you like to leave a message?

A: Yes. Could you tell her that I'll call her back around two?

B: I'll give her the message. Thank you for calling.

Question: What does Mary want the man to do?

放送文 訳

A：もしもし，メアリー・グリーンと申します。ジョーンズさんはいらっしゃいますか？

B：彼女は外出中で，正午ごろに戻ります。伝言をご希望ですか？

A：はい。2時ごろこちらからかけ直すと，伝えてくださいますか？

B：お伝えします。お電話ありがとうございます。

質問：メアリーは男性に何をしてほしいのですか。

選択肢訳 **1.** こちらから電話をかけ直すとジョーンズさんに伝える。
2. 2時に会社に来る。 **3.** あとで彼女に折り返し電話する。
4. 正午ごろ会社を出る。

解説 女性の2番目の発話 Could you tell her that ...? が男性に頼んでいる内容。正解は選択肢 **1**。call back には，電話を「折り返しかける」，「(こちらから)再度かけ直す」という2つの意味があるので注意。

No.20 正解 3

TR 66

放送文

A: Excuse me. Could you tell me the way to ABC Bank?

B: Sure. Go straight along this street and turn left at the first traffic light. You'll see the bank next to the police station.

A: Thank you very much.

B: You are welcome.

Question: What does the woman ask the man to do?

放送文 訳

A：すみません。ABC 銀行への道を教えていただけますか？

B：いいですよ。この通りをまっすぐ行って最初の信号を左に曲がってください。警察署の隣に銀行が見えます。

A：どうもありがとうございます。

B：どういたしまして。

質問：女性は男性に何をするように頼んでいますか。

選択肢訳 **1.** ABC 銀行に行くのにかかる時間を教える。
2. 白い建物がある場所を教える。
3. ABC 銀行への行き方を教える。 **4.** 警察署への行き方を教える。

解説 女性は最初の発話で ABC 銀行への行き方をたずねているので，正解は選択肢 **3**。traffic light「信号(機)」。

第3部 （問題編 p.139 ～ 140）

No.21 正解 3

TR 68

放送文

Paul is a high school teacher, but he used to be a professional tennis player. He was once a national champion. When he turned 35 years old, he felt he could not continue to be a player. So, he retired from tennis and teaches physical education at a high school now.

Question: What does Paul do for a living now?

放送文 訳

ポールは高校の教師であるが，以前はプロテニス選手だった。彼はかつて，全国大会の優勝者だった。35 歳のとき，彼は選手を続けていくことはできないと感じた。それで彼はテニスを引退し，現在は高校で体育を教えている。

質問：ポールの現在の職業は何ですか。

選択肢訳

1. プロテニス選手である。
2. ゴルフの全国大会優勝者である。
3. 高校の体育教師である。
4. 小学校でテニスを教えている。

解説 冒頭の部分の Paul is a high school teacher，最終文後半の teaches physical education から，彼は高校の体育教師である。

No.22 正解 2

TR 69

放送文

LCC is the short form for “low-cost carrier.” That is an airline that tries to keep its prices and fares lower than other airline companies. It is also called a low-cost airline. If you use an LCC, you usually cannot get services provided by major airlines, such as free food and drinks during your flight.

Question: What is one feature of LCCs?

放送文 訳

LCC は「格安航空会社」を短くした形である。格安航空会社は各種料金や航空運賃を他の航空会社より低く抑えようとする航空会社のことである。それはローコスト・エアラインとも呼ばれる。通常，LCC を利用すると，大手の航空会社が飛行中に提供する無料の食べ物や飲み物といったサービスを受けることができない。

質問：LCC の特徴の一つは何ですか。

選択肢訳

1. LCC を利用すると料金を多く支払わなければならない。
2. LCC を利用すると無料で食べたり飲んだりすることはできない。
3. 多くの種類のサービスを受けることができる。
4. 座席を予約することができない。

解説 LCC「格安航空会社」についての説明文。carrier は「運送会社」という意味で，ここでは，航空会社を指す。質問の答えは第 4 文にある。fare「運賃」，feature「特徴」。

No.23 正解 1

TR 70

放送文

Jun likes to travel abroad. He has been to some European countries before. Next winter, he is going to take a trip to Thailand. He has never been there, so he is spending many hours studying about the country. Thai culture is interesting to him, so he wants to go there.

Question: What is one reason that Jun wants to go to Thailand?

放送文 訳

ジュンは海外旅行が好きだ。彼は以前ヨーロッパの数か国へ行ったことがある。今度の冬，彼はタイへ旅行するつもりだ。そこへは行ったことがないので，多くの時間を費やして今タイについて調べている。タイの文化は彼にとって興味深いので，彼はそこを訪れたいと思っている。

質問：ジュンがタイを訪れたい理由の一つは何ですか。

選択肢訳 **1.** その文化に興味がある。 **2.** 東南アジアが大好きである。 **3.** 海外に旅行したことがない。 **4.** ヨーロッパが好きではない。

解説 選択肢**3**は第1文と反するので不適切。最終文にso he is looking forward to ... とあり，soの直前がタイに行くことを楽しみにしている理由。Thai culture is interesting to him と同じ内容を表す選択肢**1**が正解。

No.24 正解 4

TR 71

放送文

Next Sunday is Father's Day. Hiroshi is thinking of giving his father a gift. However, he doesn't know what he should give to him. Then, he remembered his father said a few weeks ago that his belt was old and that he wanted a new one. So, Hiroshi has decided to buy a new belt next Saturday.

Question: What will Hiroshi do next Saturday?

放送文 訳

この次の日曜日は父の日である。ヒロシは父親に贈り物をあげようと考えている。しかし，彼は何を父にあげるべきか分からない。すると，彼は父親が数週間前に，ベルトが古くなったので新しいものが欲しい，と言ったことを思い出した。そこでヒロシは今度の土曜日に新しいベルトを買うことに決めた。

質問：ヒロシは今度の土曜日に何をしますか。

選択肢訳 **1.** 父親に贈り物をあげる。 **2.** 父親に何を買ってあげるかを決める。 **3.** 父の日を祝う。 **4.** 父親のためにベルトを買う。

解説 質問文の最後は，Sundayではなく，Saturday。最終文で，ヒロシは土曜日にベルトを買うことに決めたと言っている。

No.25 正解 2

TR 72

放送文

Hello, listeners. I'm Lucy Hopkins. It's time now for Lucy's Talk Show. Today we have a special guest, Jake Howard. He is a mystery novelist from Scotland. His latest work "The Old Man in the Window" has become a bestseller. Tonight, I'm going to talk with him about the popularity of his writing.

Question: What is Lucy going to do tonight?

放送文 訳

こんにちは，リスナーの皆さん。私はルーシー・ホプキンズです。ルーシーのトークショーの時間がやってまいりました。今日は特別ゲストのジェイク・ハワードさんをお迎えしています。彼はスコットランド出身のミステリー作家です。彼の最新作「窓の中の老人」はベストセラーとなりました。今晩，私は彼の作品の人気について彼とお話しします。

質問：ルーシーは今晩，何をしますか。

選択肢訳
1. 老人と音楽を聞く。
2. 作家と話をする。
3. 人気小説を読む。
4. 新人映画俳優をリスナーに紹介する。

解説 ラジオ番組のトークショーの場面。放送文では a mystery novelist「ミステリー作家」と表現している言葉を選択肢では a writer「作家」と言い換えている。latest「最新の」，popularity「人気」。

No.26 正解 4

TR 73

放送文

The smallest living bird in the world is the bee hummingbird. It is 2 to 5 centimeters long. It can stay in one place in mid-air by moving its wings very quickly, which makes a continuous low sound like that of bees. Bee hummingbirds drink the sweet liquid inside flowers. They can fly at speeds over 50 kilometers per hour.

Question: What is one thing we learn about the bee hummingbird?

放送文 訳

世界最小の鳥はハチドリである。それは全長2～5センチメートルだ。この鳥は翼をきわめて早く動かすことによって空中の一か所にとどまることができる。これがハチが出すような低い連続的な音を出す。ハチドリは花の蜜を飲み，時速50キロを超えるスピードで飛ぶことができる。

質問：ハチドリについて分かることの一つは何ですか。

選択肢訳
1. 世界最大の鳥である。
2. 一か所で生き続ける。
3. ほかのどんな鳥よりも速く飛べる。
4. 空中でとどまることができる。

解説 選択肢で主語が同じ場合は，主題について，4つの選択肢でさまざまに述べられるので，英文を細かい点までよく聞いて正否を判断する。本問の答えは放送文の第3文。continuous「連続的な」，liquid「液体」。

No.27 正解 3

TR 74

放送文

Ladies and gentlemen. May I have your attention, please? The elevators are now under repair. They will be working in about two hours. If you'd like to shop on a different floor, please take the escalator or the stairs until the elevators are working again. We apologize for the inconvenience.

Question: What is the problem?

放送文 訳

ご来店の皆様。お知らせいたします。エレベーターは現在，修理中です。約2時間後には動きます。別の階でお買い物をする際は，エレベーターが復旧するまで，エスカレーターか階段をご利用ください。ご不便をおかけして申し訳ございません。

質問：問題は何ですか。

選択肢訳 **1.** 人々は別の階に行けない。 **2.** 客は店を出られない。
3. 人々はしばらくの間エレベーターを使うことができない。
4. デパートの販売員は，今日は働いていない。

解説 第3文から，エレベーターは修理中だと分かる。under repair は「修理中」という意味の熟語。したがって正解は **3**。放送文中の work は機械が「作動する」という意味。

No.28 正解 1

TR 75

放送文

Miki and Taeko are in the same high school class, and are good friends. They went to the city library to do their homework last Friday. They talked about the correct answers to their math problems. Then, a library staff member came and told them to be quiet. Miki and Taeko said they were sorry.

Question: Why did the library staff member talk to the girls?

放送文 訳

ミキとタエコは高校の同級生であり，親友である。彼女たちは先週の金曜日に宿題をするために市立図書館に行った。彼女たちは数学の問題の答えを話し合った。すると，図書館の職員がやってきて彼女たちに静かにするようにと言った。ミキとタエコはすみませんと謝った。

質問：図書館の職員はなぜ少女たちに声をかけたのですか。

選択肢訳 **1.** 彼女たちが騒がしかったから。 **2.** 彼女たちはそこで宿題をすることを許可されていなかったから。 **3.** 彼女たちは歌を歌っていたから。
4. 彼女たちは宿題の答えを出すことができなかったから。

解説 答えのかぎとなるのは第4文の，a library staff member came and told them to be quiet の部分。正解の選択肢 **1** では，図書館の職員が声をかけた理由を放送文とは異なる They were noisy. で言い換えていることに注意。staff「職員」は集合名詞で，「1人の職員」と言う場合は a staff member。

No.29 正解 3

TR 76

放送文

Canada is one of the most beautiful countries in the world, if you like lakes and rivers. In fact, there are over 3 million lakes in Canada, making it the country with the most lakes in the world. Canada is a popular tourist spot, especially for those who enjoy fishing and water sports.

Question: What is one thing we learn about Canada?

放送文 訳

もしあなたが湖や川が好きであれば，カナダは世界で最も美しい国の一つである。実際，カナダには300万を超える湖があり，世界で最も湖の多い国となっている。カナダはとくに釣りやウォータースポーツを楽しむ人々にとって，人気のある観光地である。

質問：カナダについて分かることの一つは何ですか。

選択肢訳
1. 旅行者が訪れたがる場所はあまり多くない。
2. 釣りやウォータースポーツが好きな人々にとってはよい国ではない。
3. 非常にたくさんの湖がある。　**4.** 人口は300万人である。

解説 カナダについての説明文。第1文後半 if you like lakes and rivers から，とくに湖や川に関する話が続くと予想できる。第2文の「300万を超える湖」「世界で最も湖の多い国」という内容と一致する選択肢 **3** が正解。

No.30 正解 4

TR 77

放送文

Attention, students. There will be an indoor soccer game this afternoon from 2: 00 to 3: 30 in the gym. No experience is necessary and everyone is welcome to play, but, players should be in the sixth grade or above. So, if you want to take part in the game, please come to the gym by 1: 30 p.m.

Question: When does the soccer game end?

放送文 訳

生徒の皆さんにお知らせします。今日の午後2時から3時半まで，体育館で屋内サッカーの試合を行います。経験は必要ありませんのでだれでも歓迎しますが，プレーヤーは6年生以上でなければなりません。試合に参加したい人は午後1時30分までに体育館に来てください。

質問：サッカーの試合はいつ終わりますか。

選択肢訳 **1.** 2時に。　**2.** 2時30分に。　**3.** 3時に。　**4.** 3時30分に。

解説 校内放送の場面。選択肢はすべて時刻が示されているので，何時に何が起きるかに注意して聞き取る。第2文に There will be an indoor soccer game this afternoon from 2:00 to 3:30 in the gym. とあるので，試合が終わるのは3時30分。したがって選択肢 **4** が正解。necessary「必要な」，grade「学年」。

第 3 章

二次試験 面接

攻略テクニック！

二次試験　面接

POINT

※試験内容などは変わる場合があります

形　式	受験者1名，面接委員1名の対面方式。「問題カード」を利用する
解答時間	約6分
傾　向	採点は，パッセージを音読する「リーディング」，面接官の質問に答える「応答」，面接カードに印刷された「イラストの展開の説明」，「態度」の4項目
対　策	ふだんから個々の単語の発音やアクセント，文の区切りに気をつけて音読しよう。また「社会・環境・語学・健康」などさまざまな話題について自分の意見を英語で言う練習をしておこう

試験の流れ　※面接試験はすべて英語で行われます

(1) 入室

指示に従って面接室に入ります。指示に従って面接委員に問題カードを提出し，指示されてから着席します。

(2) 氏名と受験級の確認

面接委員が氏名，受験級の確認，簡単なあいさつをするので，英語で答えます。

(3) 問題カードの受け取りと黙読・音読

面接委員から問題カードを受け取り，２０秒間黙読したあとで音読します。

(4) 質疑応答

全部で５問あり内訳は，問題カードのパッセージから１問，イラストから２問，受験者の意見や受験者自身のことをたずねる問題が２問です。

(5) 問題カードの返却と退出

面接委員の指示に従って問題カードを返却し，あいさつをして退出します。

リーディング

テクニック❶ 発音・アクセント・文中の区切りを意識する！

リーディングでは,「発音・アクセント」を正しくすることが重要です。例えば単語の tourists なら「トゥアリスツ」と正確な発音を心がけます。「ツアリスツ」と読んだり,「トゥアリスト」などと複数形の s を表せなかったりすると，それ単独では減点されませんが，同様の発音ミスが重なると減点の対象になります。

また，文を読むときは区切る位置に注意しましょう。長い文ではとくに,「意味のつながる部分ごと」で間を入れます。下の例文の，/ が区切る箇所です。

They are popular / not only with their friends / but also with others.

質問への回答

テクニック❷ 間違った長い回答より，短くても正確な回答！

大切なのは, 質問に対し「適切に答えること」です。もし質問の内容が聞き取れなかったら，間を置かずに **I beg your pardon?「何とおっしゃいましたか」** と聞き返してください。１問につき１度であれば聞き返せます。

また, 難しい表現を使って間違うより,「短くても適切な回答」を心がけてください。

例えば No.2 では「イラストの５人(組)の登場人物の動作」を英語で表します。「男の人が塀にペンキを塗っている」と言う場合，模範回答は A man is painting a fence. ですが，これを A man is painting with a fence. などと間違うよりは，A man is painting. と簡潔に答えるほうが確実に得点になります。

また，No.4，No.5 では「環境」「生活」などから２問，「動物を飼うことに興味がありますか」など, 受験者自身に関する質問を受けます。Yes. または No. で答えたあと，２文程度でその理由を答えます。

自分の意見や習慣などを英語で表現できるよう練習しておきましょう。

態度

テクニック❸ 積極的な態度で点数アップ！

「態度」とは **「面接室に入ってから退室するまでの積極的な態度や反応」** です。

具体的には，入室の際に，**May I come in?「入ってよろしいですか」** と声をかけたり，面接委員ときちんと「アイコンタクト」をしたり，また余裕があれば「自然な笑顔」で応対する，などです。ただ，面接試験では緊張するのが当たり前なので，そんなときは無理に笑顔を作ろうとせず，「自然な態度」を心がけてください。

例題

TR 78 ～ TR 85

※問題形式などは変わる場合があります。

Electronic Money

Many people in Japan use certain IC cards as electronic money when they pay for train fares. Also people can buy various things at supermarkets and convenience stores by using IC cards. Electronic money is convenient because you don't have to carry cash when you shop. So, it may become more popular in the future.

A

B

(問題カードにはここまでが記載されています)

質問文と訳

No. 1 (TR 81) According to the passage, how can people buy various things at supermarkets and convenience stores without cash?

No. 2 (TR 82) Now, please look at the people in Picture A. They are doing different things. Tell me as much as you can about what they are doing.

No. 3 (TR 83) Now, look at the man in Picture B. Please describe the situation.
Now, Mr. / Ms. ______ , please turn over the card and put it down.

No. 4 (TR 84) Do you think using electronic money is a good way to pay when you are buying and paying for things?
Yes. → Why? / No. → Why not?

No. 5 (TR 85) Today, many people use e-mail to get in contact with each other. Do you spend a lot of time e-mailing your friends?
Yes. / No. → Please tell me more.

訳

電子マネー

多くの日本人が，電車の運賃を払うときに電子マネーとして特定のICカードを使っている。人々はまた，スーパーマーケットやコンビニエンスストアで，ICカードを使ってさまざまなものを買うことができる。電子マネーは便利だ。なぜなら，買い物をするときに現金を持っている必要がないからだ。だから将来，電子マネーはもっと人気が高まるかもしれない。

質問訳

No. 1 この文によると，人々はどうやって現金なしでさまざまなものをスーパーマーケットやコンビニエンスストアで買うことができますか。

No. 2 さて，**A**の絵の人々を見てください。彼らはいろいろなことをしています。彼らが何をしているのか，できるだけたくさん説明してください。

No. 3 さて，**B**の絵の男性を見てください。この状況を説明してください。
では，～さん(受験者の氏名)，カードを裏返して置いてください。

No. 4 あなたは，買い物をして支払いをしようとする場合，電子マネーを使うことはよい方法だと思いますか。→（はい／いいえ）→ なぜですか。

No. 5 今日，多くの人々が互いに連絡をとるためにEメールを利用しています。あなたは友達にEメールを送ることに多くの時間を使いますか。
→（はい／いいえ）→ もっと説明してください。

解答と解説

No. 1
TR 81

解答例 They can buy various things at supermarkets and convenience stores by using IC cards.

訳 **彼らはICカードを使うことで，スーパーマーケットやコンビニエンスストアでさまざまなものを買うことができます。**

解説 第2文に関する質問。手段を聞かれているので，by using IC cards が答えに当たる部分。by *do*ing「～することで」。質問文およびカード本文の主語 people は，解答では they で表す。

No. 2
TR 82

解答例 A girl is walking a dog. / A boy is listening to music. / An old man is reading. / A man is putting cans [a can] in a (vending) machine. / A woman is running [jogging].

訳 **女の子が犬を散歩させています。／男の子が音楽を聞いています。／老人が本を読んでいます。／男性が自動販売機に缶を入れています。／女性が走っています[ジョギングしています]。**

解説 イラスト中の5人全員の行動を答える。現在行っている動作なので，現在進行形で表す。walk には他動詞で「(犬，馬などを)散歩させる[散歩に連れて行く]」という意味がある。また，take a dog for a walk という表現の仕方もある。「音楽を聞く」は listen to music で表せる。自動販売機は vending machine と言う。

No. 3
TR 83

解答例 He can't buy what he wants because he doesn't have cash or electronic money.

訳 **現金も電子マネーも持っていないので，彼は欲しいものを買うことができません。**

解説 「男性が買いたいものを買うことができない」ことと「現金または電子マネーを持っていない」ことの2点を表現する。後者は単にお金を持っていない(he doesn't have money)と表現してもよい。

No. 4
TR 84

解答例 ① Yes. → We can buy things even if we don't have cash. And we don't have to withdraw cash from an ATM machine.

訳 **はい。→ もし現金を持っていなくてもものを買うことができます。また，ATMで現金を引き出す必要もないからです。**

解答例 ② No. → If we use electronic money, we forget how much money we spent. So I think we tend to spend too much.

訳 いいえ。→ 電子マネーを使うと，私たちはどのくらいお金を使ったか忘れてしまいます。そのため，たくさん使いすぎてしまう傾向があると思うからです。

解説 肯定の理由としては，現金を持っていなくても買い物ができる，という点が最も説得力があるのでそのことを英語で表現する。ATM で現金を引き出す必要もない，などと付け加えればなおよい。ATM は automated [または automatic] teller machine の略だが，通常は略称のほうの ATM (machine) という表現を使う。また，cash machine とも言う。

反対の理由としては，「現金がないのでどのくらい使ったか忘れてしまう」や「ついお金を使いすぎてしまいがちである」などの理由が挙げられる。tend to *do* は「～する傾向がある，～しがちである」という意味を表す。

No. 5
TR 85

解答例 ① Yes. → I have a lot of friends and have many things to tell them. So getting in contact with them by e-mail is a convenient and important method.

訳 はい。→ 私にはたくさんの友人がいて，彼らに言いたいことがたくさんあります。ですので，E メールで彼らと連絡を取ることは便利で重要な手段です。

解答例 ② No. → If I have something to tell to my friends, I usually meet them. I can express my ideas better by meeting them in person.

訳 いいえ。→ もし，友達に言いたいことがあったら，私はたいてい彼らに会います。直接会うことによって自分の考えをよりよく表現できます。

解説 Yes の意見では，「友人が多い」，「電話などでは時間がかかってしまう」，などの理由が挙げられる。

No の意見では，「直接会ったり，電話したりするほうがより直接的に自分の考えを表現できる」といった理由が考えられる。

著者

有馬一朗　ありま いちろう

千葉大学卒業。大手保険会社勤務時に独学で英検1級を取得。退社後、進学塾勤務を経て独立。「小学３年生で英検準1級合格」「公立中学3年生で英語内申点3の生徒を半年の指導で英検2級に合格」「英検4級不合格直後の高３生を４か月の指導で英検準2級に合格」といった成果を上げて多くの生徒・父兄から感謝されている。
メールアドレス：info@arimax.biz
〈著書〉
『一問一答　英検® 2級 完全攻略問題集 音声DL版』『同準2級』『同3級』（高橋書店）
『英検3級に受かったら一気に2級をめざせる本』（扶桑社　大谷優平の別名）

本書は2023年9月に発刊した書籍を、2024年度の試験リニューアルに合わせて加筆・訂正した改訂版です。

一問一答　英検®準2級 完全攻略問題集 音声DL版

著　者　有馬一朗
発行者　清水美成
編集者　根本真由美
発行所　**株式会社 高橋書店**
〒170-6014 東京都豊島区東池袋3-1-1 サンシャイン60 14階
電話　03-5957-7103
ISBN978-4-471-27596-9　©TAKAHASHI SHOTEN　Printed in Japan

本書の内容についてのご質問は「書名、質問事項（ページ、内容）、お客様のご連絡先」を明記のうえ、郵送、FAX、ホームページお問い合わせフォームから小社へお送りください。
回答にはお時間をいただく場合がございます。また、電話によるお問い合わせ、本書の内容を超えたご質問にはお答えできませんので、ご了承ください。本書に関する正誤等の情報は、小社ホームページもご参照ください。

【内容についての問い合わせ先】
書　面　〒170-6014 東京都豊島区東池袋3-1-1 サンシャイン60 14階　高橋書店編集部
ＦＡＸ　03-5957-7079
メール　小社ホームページお問い合わせフォームから　(https://www.takahashishoten.co.jp/)

【不良品についての問い合わせ先】
ページの順序間違い・抜けなど物理的欠陥がございましたら、電話03-5957-7076へお問い合わせください。
ただし、古書店等で購入・入手された商品の交換には一切応じられません。

一問一答 英検®準2級 完全攻略問題集

別冊
頻出単熟語&重要文法

高橋書店

矢印の方向に引くと、取り外し可能です ➡

頻出単熟語&重要文法

Contents

英検®準2級

頻出単語 670

☐ **able** 形 [éibl] 可能な	be able to *do* 〜することができる ▶ ability 名 能力 反 unable 形 できない
☐ **accept** 動 [æksépt] 受け入れる	▶ acceptance 名 承諾 ▶ acceptable 形 承諾しうる
☐ **accident** 名 [ǽksədənt] 事故	▶ accidental 形 偶然の ▶ accidentally 副 偶然
☐ **accomplish** 動 [əkámpliʃ] 達成する	She finally **accomplished** her goal. 彼女はついに目標を**達成した**。 ▶ accomplishment 名 達成
☐ **achievement** 名 [ətʃíːvmənt] 達成，業績	a sense of achievement 達成感 ▶ achieve 動 達成する
☐ **actual** 形 [ǽktʃuəl] 実際の，本当の	▶ actually 副 本当に
☐ **add** 動 [ǽd] 加える	▶ addition 名 追加 熟 in addition to 〜 〜に加えて ▶ additional 形 追加の
☐ **address** 名 [ǽdres] 住所，演説	類 speech 名 演説
☐ **admit** 動 [ædmít] (入場・入学など)を認める	▶ admission 名 入学(許可) ▶ admittance 名 入場(許可)
☐ **advantage** 名 [ædvǽntidʒ] 有利	反 disadvantage 名 不利 ▶ advantageous 形 有利な
☐ **adventure** 名 [ædvéntʃər] 冒険	類 venture 名 冒険，投機的事業

☐ **advertise** 動 [ǽdvərtàiz] 広告する	▶ advertisement 名 広告 ▶ advertising 名 広告
☐ **advise** 動 [ədváiz] 助言する	The doctor **advised** him to start exercising. 医師は彼に運動をするように**助言した**。 ▶ advice 名 助言，忠告
☐ **afford** 動 [əfɔ́ːrd] 余裕がある	can afford to *do* ～する余裕がある ▶ affordable 形 予算に合った
☐ **afterward** 副 [ǽftərwərd] あとで[に]	類 later 副 あとで
☐ **agree** 動 [əgríː] 賛成する	反 disagree 動 反対する ▶ agreement 名 賛成(⇔ disagreement 反対)
☐ **ahead** 副 [əhéd] 前へ，先に	反 behind 副 うしろに
☐ **aim** 名動 [éim] 目的(とする)	aim at ～ ～を狙う 類 purpose 名 目的，意図
☐ **alike** 形 [əláik] 似ている	反 unlike 形 似ていない
☐ **allow** 動 [əláu] 許す	allow *A* to *do* Aが～することを許す，可能にする 反 forbid 動 禁じる
☐ **almost** 副 [ɔ́ːlmoust] ほとんど	類 nearly 副 ほとんど
☐ **although** 接 [ɔːlðóu] ～だけれども	al (まったく)＋ though (～だが)→ although 類 though 接 ～だが
☐ **amaze** 動 [əméiz] 驚かせる	▶ amazing 形 驚くべき

☐ **amount** 名 [əmáunt] 量，合計	類 sum 名 合計
☐ **ancient** 形 [éinʃənt] 古代の	▶ anciently 副 昔に
☐ **angle** 名 [ǽŋgl] 角度，観点，アングル	take pictures from different angles 異なる角度から写真を撮る
☐ **anniversary** 名 [æ̀nəvə́ːrsəri] 記念日	類 birthday 名 誕生日
☐ **announce** 動 [ənáuns] 公表する	▶ announcement 名 発表，公表 ▶ announcer 名 発表者，アナウンサー
☐ **another** 形 代 [ənʌ́ðər] ほかの，もう一つ	one after another 次々と one another お互いに
☐ **anymore** 副 [ènimɔ́ːr] もうこれ以上(～ない)	類 any longer 副 もはや，これ以上
☐ **anyway** 副 [éniwèi] とにかく	**Anyway**, I will call you. **とにかく**お電話します。
☐ **apart** 副 [əpάːrt] 離れて	apart from ～ ～から離れて ▶ apartment 名 アパート，マンション
☐ **apparent** 形 [əpǽrənt] 明らかな	▶ apparently 副 外見上
☐ **appear** 動 [əpíər] 現れる	反 disappear 動 消える ▶ appearance 名 出現
☐ **appoint** 動 [əpɔ́int] 任命する，指名する	▶ appointment 名 任命

☐ **appreciate** 動 [əpríːʃièit] 感謝する，真価を認める	▶ appreciation 名 評価，感謝
☐ **approach** 動 名 [əpróutʃ] アプローチ，接近(する)	類 contact 名 接触
☐ **argue** 動 [áːrgjuː] 議論する	▶ argument 名 議論 beyond argument 議論の余地がない
☐ **arm** 名 動 [áːrm] 腕，兵器，武器を取る	▶ army 名 軍隊，陸軍 ▶ armed 形 武装した
☐ **arrange** 動 [əréindʒ] 配置する，準備する	▶ arrangement 名 アレンジ，配置，整理 flower arrangement フラワーアレンジメント，華道
☐ **arrest** 動 名 [ərést] 逮捕する，逮捕	under arrest 逮捕されて 類 catch 動 捕まえる
☐ **arrival** 名 [əráivəl] 到着	▶ arrive 動 到着する
☐ **asleep** 形 副 [əslíːp] 眠って	fall asleep 眠る 反 awake 形 目覚めて
☐ **assist** 動 [əsíst] 支援する	▶ assistant 形 名 支援の，助手 ▶ assistance 名 支援
☐ **atmosphere** 名 [ǽtməsfìər] 雰囲気，大気	Our class has a friendly **atmosphere**. 私たちのクラスは仲の良い**雰囲気**だ。
☐ **attack** 名 動 [ətǽk] 攻撃，攻撃する	under attack 攻撃されて ▶ attacker 名 攻撃者 反 defend 動 守る
☐ **attend** 動 [əténd] ～に参加[出席]する	▶ attention 名 注意 ▶ attendance 名 参加 ▶ attentive 形 注意深い

☐ **attitude** 名 [ǽtitjùːd] 態度	He took the **attitude** that I was a child. 彼は私が子どもだという**態度**をとった。
☐ **attract** 動 [ətrǽkt] 魅了する	▶ attractive 形 魅力的な ▶ attraction 名 アトラクション, 魅了するもの
☐ **audience** 名 [ɔ́ːdiəns] 観客	類 customer 名 客, 顧客
☐ **avenue** 名 [ǽvənjùː] 大通り	類 street 名 通り
☐ **average** 名 [ǽvəridʒ] アベレージ, 平均	on average 平均して ▶ averagely 副 標準的に, 平均的に
☐ **avoid** 動 [əvɔ́id] 避ける	avoid *doing* 〜しないようにする ▶ avoidable 形 避けられる
☐ **award** 名 動 [əwɔ́ːrd] 賞, (賞などを)与える	類 prize 名 賞
☐ **balance** 名 動 [bǽləns] 落ち着き, 均衡, バランス(を保つ)	keep *one's* balance バランスを保つ
☐ **bark** 動 名 [báːrk] 吠える, 吠え声	bark at 〜 〜に吠える
☐ **base** 名 [béis] 基礎, 基地, 塁	▶ basic 名 形 基礎(の) ▶ basis 名 基礎, 主成分 ▶ basically 副 基本的に
☐ **bear** 動 [béər] 持つ, 抱く, 我慢する	変化 **bear - bore - born** ▶ bearable 形 我慢できる ▶ bearing 名 態度, 我慢
☐ **beat** 動 名 [bíːt] 打つ(音), 打ち負かす, 鼓動	変化 **beat - beat - beaten** 類 strike 動 〜を打つ

☐ **behave** 動 [bihéiv] 振る舞う	behave *oneself*　行儀をよくする ▶ behavior 名 振る舞い，行儀
☐ **behind** 副 [biháind] 〜の後ろに	反 in front of 〜　〜の前に
☐ **belief** 名 [bilíːf] 確信，信念	It is my **belief** that children should respect their parents. 子どもは自分の親を尊敬すべきだというのが私の**信念**だ。 ▶ believe 動 信じる
☐ **belong** 動 [bilɔ́ːŋ] 属する	belong to 〜　〜に属する ▶ belonging 名 属性 ▶ belongings 名 身の回り品
☐ **besides** 副 [bisáidz] そのうえ，さらに	▶ beside 前 〜のそばに 類 in addition　そのうえ
☐ **beyond** 前 [bijάnd] 〜を越えて，〜の向こうに	反 within 前 〜を越えずに
☐ **biology** 名 [baiάlədʒi] 生物学	▶ biologist 名 生物学者
☐ **bite** 動 名 [báit] 噛む，一噛み	変化 **bite - bit - bitten**
☐ **blind** 形 [bláind] 盲目の	▶ blindness 名 盲目
☐ **blossom** 名 動 [blάsəm] 花，咲く(こと)	類 bloom 動 名 咲く，花
☐ **blow** 動 名 [blóu] (〜を)吹く，爆破する，一吹き	変化 **blow - blew - blown** 類 explode 動 爆破する
☐ **boring** 形 [bɔ́ːriŋ] 退屈な	▶ bore 動 退屈させる be bored to death　ひどく退屈する ▶ boredom 名 退屈

☐ **borrow** 動 [bárou] 借りる	反 lend 動 ～を貸す 類 rent 動 賃借りする
☐ **boss** 名 [bɔ́ːs] 上司	類 superior 名 上司
☐ **bother** 動 名 [báðər] 悩ます，騒ぎ，面倒	Don't **bother** me!　**邪魔**をしないで！
☐ **bottom** 名 [bátəm] 底	▶ bottomless 形 非常に深い
☐ **breathe** 動 [bríːð] 呼吸する	▶ breath 名 呼吸，息 ▶ breathing 名 一呼吸，休止
☐ **bright** 形 [bráit] 明るい，賢い	▶ brighten 動 輝かせる ▶ brightly 副 明るく
☐ **burn** 動 [bə́ːrn] 燃やす	▶ burning 形 名 燃えている，熱い，燃焼 ▶ burnt 形 焼けた，焦げた
☐ **calm** 形 動 [káːm] 穏やかな，静まる	calm down　落ち着く ▶ calming 形 落ち着かせる ▶ calmly 副 静かに，落ち着いて
☐ **carry** 動 [kǽri] 運ぶ	carry on　続ける ▶ carriage 名 乗り物 ▶ carrier 名 運ぶ人，保菌者
☐ **cause** 動 名 [kɔ́ːz] 引き起こす，原因，理由	cause and effect　原因と結果 ▶ because 接 ～だから，～なので
☐ **celebrate** 動 [séləbrèit] 祝う	▶ celebration 名 祝うこと
☐ **center** 名 動 [séntər] 中心，集中する	▶ central 形 中心の，主要な

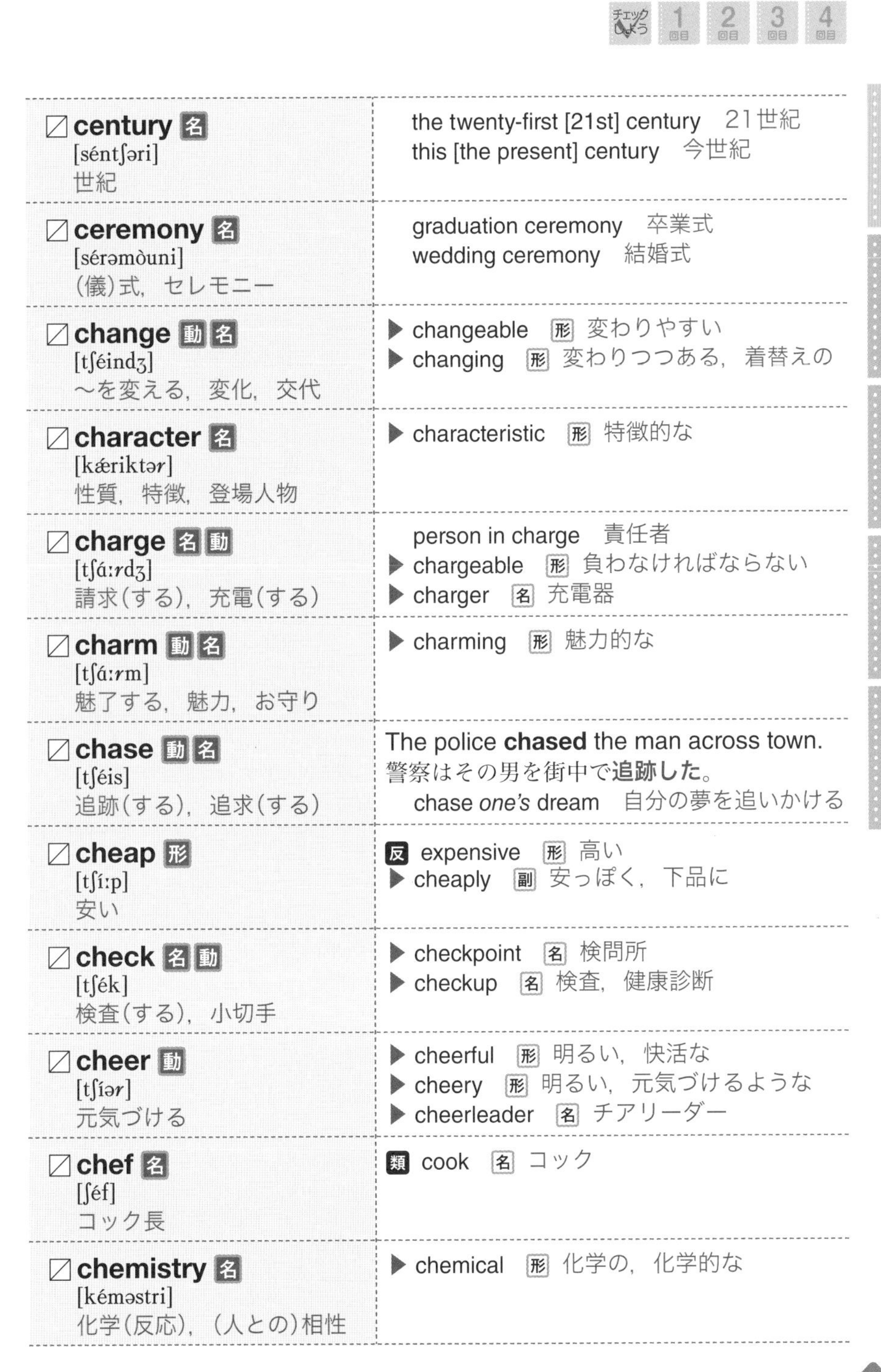

☐ **century** 名 [séntʃəri] 世紀	the twenty-first [21st] century　21世紀 this [the present] century　今世紀
☐ **ceremony** 名 [sérəmòuni] (儀)式，セレモニー	graduation ceremony　卒業式 wedding ceremony　結婚式
☐ **change** 動 名 [tʃéindʒ] ～を変える，変化，交代	▶ changeable　形　変わりやすい ▶ changing　形　変わりつつある，着替えの
☐ **character** 名 [kǽriktər] 性質，特徴，登場人物	▶ characteristic　形　特徴的な
☐ **charge** 名 動 [tʃɑ́ːrdʒ] 請求(する)，充電(する)	person in charge　責任者 ▶ chargeable　形　負わなければならない ▶ charger　名　充電器
☐ **charm** 動 名 [tʃɑ́ːrm] 魅了する，魅力，お守り	▶ charming　形　魅力的な
☐ **chase** 動 名 [tʃéis] 追跡(する)，追求(する)	The police **chased** the man across town. 警察はその男を街中で**追跡した**。 chase *one's* dream　自分の夢を追いかける
☐ **cheap** 形 [tʃíːp] 安い	反 expensive　形　高い ▶ cheaply　副　安っぽく，下品に
☐ **check** 名 動 [tʃék] 検査(する)，小切手	▶ checkpoint　名　検問所 ▶ checkup　名　検査，健康診断
☐ **cheer** 動 [tʃíər] 元気づける	▶ cheerful　形　明るい，快活な ▶ cheery　形　明るい，元気づけるような ▶ cheerleader　名　チアリーダー
☐ **chef** 名 [ʃéf] コック長	類 cook　名　コック
☐ **chemistry** 名 [kéməstri] 化学(反応)，(人との)相性	▶ chemical　形　化学の，化学的な

☐ **chew** 動 名 [tʃúː] (よく)かむ(こと)	**Chew** your food well. 食べ物はよく**かみなさい**。 chewing gum　チューインガム
☐ **childhood** 名 [tʃáildhùd] 子どものころ	▶ child 名 子ども *cf.* adulthood 名 成人であること，成人期
☐ **claim** 名 動 [kléim] 主張(する)，要求(する)	▶ claimant 名 権利主張者 *cf.* disclaim 動 ～を否認する
☐ **clear** 形 [klíə*r*] 澄んだ，晴れた，明確な	▶ clearly 副 はっきりと，明らかに ▶ clearness 名 明らかであること，明快 ▶ clearance 名 片づけ，除去
☐ **climate** 名 [kláimit] 気候，風土	類 weather 名 (特定の日の)天候
☐ **climb** 動 [kláim] 登る	▶ climbable 形 登ることのできる ▶ climbing 名 登山，ロッククライミング ▶ climber 名 登山者
☐ **closet** 名 [klázit] 物置，クローゼット	The **closet** in her bedroom is very big. 彼女の寝室の**クローゼット**はとても大きい。 a walk-in closet　ウォークインクローゼット
☐ **cloth** 名 [klɔ́ːθ] 布	▶ clothes 名 衣服(全般) ▶ clothing 名 (特定の)衣類
☐ **coach** 名 動 [kóutʃ] 監督(する)	▶ coaching 名 指導
☐ **coast** 名 [kóust] 海岸，沿岸	from coast to coast　《米》アメリカ全土に 類 seacoast 名 海岸
☐ **collection** 名 [kəlékʃən] 収集(物)，コレクション	Garbage **collection** is on Mondays. ゴミの**収集**は月曜日です。 ▶ collect 動 集める，徴収する
☐ **comfort** 動 名 [kʌ́mfə*r*t] 快適さ，快適にする	▶ comfortable 形 快適な

☐ **commercial** 形 [kəmə́:rʃəl] 商業の	▶ commerce 名 商業 ▶ e-commerce 名 電子商取引
☐ **common** 形 [kámən] 共通の，ありふれた	▶ commonly 副 ふつうに 反 personal 形 個人的な 反 uncommon 形 めったにない
☐ **communicate** 動 [kəmjú:nəkèit] (考え・情報を)伝える	▶ communication 名 情報伝達，コミュニケーション
☐ **community** 名 [kəmjú:nəti] 共同体[社会]，市町村	類 society 名 社会，共同体
☐ **complete** 動 形 [kəmplí:t] 完全にする，完全な	▶ completely 副 完全に，すっかり ▶ completion 名 完成，完了，終了
☐ **concentrate** 動 [kánsəntrèit] 集中する	concentrate on ～ ～に集中する ▶ concentration 名 集中
☐ **concrete** 形 名 [kánkri:t] 具体的な，コンクリート(の)	▶ concretely 副 具体的に ▶ concreteness 名 具体性
☐ **condition** 名 [kəndíʃən] 状態，状況	▶ conditional 形 条件付きの ▶ conditioner 名 調節器[者]，冷[暖]房装置
☐ **conference** 名 [kánfərəns] 会議，相談	▶ confer 動 協議する，授ける
☐ **confuse** 動 [kənfjú:z] 混乱させる	▶ confusion 名 混乱(状態)，当惑 ▶ confusing 形 まぎらわしい，うろたえさせるような
☐ **connect** 動 [kənékt] つなぐ	▶ connector 名 連結装置，コネクター ▶ connection 名 接続，関係
☐ **constant** 形 [kánstənt] 絶え間ない，一定の	▶ constantly 副 絶え間なく

☐ **contact** 名 [kántækt] 連絡，接触	contact lenses　コンタクトレンズ make radio contact　無線で連絡を取る
☐ **contain** 動 [kəntéin] 含む	▶ container　名 容器，コンテナ
☐ **control** 名 動 [kəntróul] 抑制(する)，支配(する)	under control　支配[管理]されて，制御されて ▶ controlled　形 抑制のきいた，制御された
☐ **convenient** 形 [kənví:njənt] 便利な	▶ convenience　名 便利 convenience store　コンビニエンスストア
☐ **corporate** 形 [kɔ́:*r*pərət] 法人の	corporate culture　企業文化 ▶ corporation　名 法人
☐ **correct** 動 形 [kərékt] 修正する，正しい	反 incorrect　形 不正確な，誤った ▶ correctly　副 正しく，正確に ▶ correction　名 訂正，修正
☐ **cost** 動 名 [kɔ́:st] 費用(がかかる)，コスト	変化 **cost - cost - cost** ▶ costly　形 高価な
☐ **costume** 名 動 [kástju:m | kastjú:m] 衣装，コスチューム，着せる	類 clothes　名 衣服，身に着けるもの(帽子・靴も含む)
☐ **count** 動 名 [káunt] 数える，計算(する)	count on ～　～に頼る
☐ **courage** 名 [kə́:ridʒ] 勇気	▶ courageous　形 勇敢な ▶ encourage　動 勇気づける
☐ **co-worker** 名 [kóuwə̀:*r*kə*r*] 同僚	co- (一緒に) + worker → co-worker
☐ **create** 動 [kriéit] 作り出す	▶ creation　名 創造 ▶ creature　名 生物，創造物 ▶ creative　形 創造的な

☐ **crop** 名 動 [kráp] 作物，収穫する	類 yield 名 産出，収穫
☐ **crowd** 名 動 [kráud] 群衆，(人が)集まる	▶ crowded 形 込み合った，満員の
☐ **custom** 名 [kʌ́stəm] 習慣，慣例，(～s)税関	▶ customer 名 顧客 類 accustom 動 慣らす
☐ **cute** 形 [kjúːt] かわいい	類 pretty 形 かわいい
☐ **damage** 名 動 [dǽmidʒ] 損害(を与える)	類 injure 動 けがをさせる
☐ **danger** 名 [déindʒər] 危険	in danger 危険で ▶ dangerous 形 危険な
☐ **data** 名 [déitə] 資料，データ	類 information 名 情報，資料
☐ **decision** 名 [disíʒən] 決定，決心，決断	That's a difficult **decision**. それは難しい**決定**です。 ▶ decide 動 決める
☐ **decorate** 動 [dékərèit] 飾る	▶ decoration 名 飾り(つけ) ▶ decorative 形 装飾的な
☐ **decrease** 動 名 [dikríːs | díːkriːs] 減少(する)	a decrease of 15% 15%の減少 反 increase 動 名 増加(する)
☐ **deeply** 副 [díːpli] 深く，非常に	I'm **deeply** sorry. **本当に**すみません。 ▶ deep 形 深い，濃い
☐ **degree** 名 [digríː] 等級，階級，段階，度	in some degree ある程度 Zero degrees Celsius 摂氏零度 類 rank 名 階級，等級

☐ **delay** [動][名] [diléi] 遅れ(る)，遅延	▶ delayed [形] 遅らせた
☐ **delight** [名][動] [diláit] 大喜び(させる)	with delight 喜んで ▶ delightful [形] 楽しい ▶ delighted [形] 喜んで
☐ **deliver** [動] [dilívər] 配達する，赤ん坊をとりあげる	▶ delivery [名] 配達
☐ **dental** [形] [déntl] 歯の	▶ dentist [名] 歯科医
☐ **describe** [動] [diskráib] 述べる，記述する	▶ description [名] 記述
☐ **design** [動][名] [dizáin] 設計(する)，デザイン(する)	▶ designer [名] デザイナー
☐ **despite** [前] [dispáit] 〜にもかかわらず	[類] in spite of 〜 〜にもかかわらず
☐ **destroy** [動] [distrɔ́i] 破壊する	▶ destruction [名] 破壊 ▶ destructive [形] 破壊的な
☐ **detail** [名][動] [ditéil, dí:teil] 細部，詳細(に述べる)	in detail 詳細に go into detail(s) 詳細に述べる
☐ **develop** [動] [divéləp] 発展する	developed country 先進国 developing country 発展途上国 ▶ development [名] 発展，発達
☐ **diet** [名] [dáiət] 食事(療法)，ダイエット	▶ the Diet [名] (日本などの)国会，議会
☐ **different** [形] [dífərənt] 異なった	▶ difference [名] 違い ▶ differently [副] 異なって

☐ **difficult** 形 [dífikʌ̀lt] 困難な，難しい	▶ difficulty 名 困難(さ) with difficulty　やっと
☐ **dig** 動 [díg] 掘る	変化 **dig - dug - dug** 類 mine 動 ～を採掘する
☐ **dinosaur** 名 [dáinəsɔ̀ːr] 恐竜	類 beast 名 動物，獣
☐ **direct** 動 形 [dərékt] 指示する，監督する，直接の	▶ direction 名 指示，監督，方向 ▶ director 名 (映画等の)監督 ▶ directly 副 まっすぐに
☐ **disappoint** 動 [dìsəpɔ́int] がっかりさせる	▶ disappointed 形 失望した，がっかりした ▶ disappointment 名 失望
☐ **disaster** 名 [dizǽstər] 災害，災難	▶ disastrous 形 悲惨な
☐ **discount** 動 名 [dískaunt] 割引(する)	at a discount　割引して ▶ discounted 形 割引された
☐ **discover** 動 [diskʌ́vər] 発見する	▶ discovery 名 発見
☐ **discuss** 動 [diskʌ́s] 討論する	▶ discussion 名 討論 under discussion　審議中で
☐ **disease** 名 [dizíːz] 病気	heart disease　心臓病 catch a disease　病気にかかる
☐ **dislike** 動 [disláik] 嫌う	反 like 動 好きである
☐ **distance** 名 [dístəns] 距離	▶ distant 形 離れた

☐ **divide** 動 [diváid] 分ける，分配する	divide a cake in half　ケーキを２等分する ▶ division 名 分離，部門
☐ **dormitory** 名 [dɔ́ːrmətɔ̀ːri] 寄宿舎，寮	類 house 名 寮
☐ **double** 形 動 名 [dʌ́bl] ２倍[２重]の，２倍(にする)	*cf.* single 形 たった１つの，１人用の
☐ **dramatic** 形 [drəmǽtik] 劇的な	▶ drama 名 演劇，ドラマ，脚本
☐ **draw** 動 [drɔ́ː] 描く，(線を)引く，引っ張る	変化 **draw - drew - drawn** ▶ drawing 名 製図，デッサン
☐ **dress** 名 動 [drés] 服装，ドレス，着せる，飾る	dress up　盛装する，誇張する 類 clothe 動 ～に着せる
☐ **drugstore** 名 [drʌ́gstɔ̀ːr] ドラッグストア	▶ drug 名 薬 類 pharmacy 名 (調剤)薬局
☐ **earn** 動 [ə́ːrn] 稼ぐ	▶ earning 名 収入
☐ **edge** 名 [édʒ] 縁，へり，端，刃	類 blade 名 刃
☐ **educate** 動 [édʒukèit] 教育する	▶ education 名 教育 ▶ educational 形 教育の ▶ educated 形 教養のある
☐ **effect** 名 動 [ifékt] 結果，効果(をもたらす)	side effect　副作用 ▶ effective 形 効果的である
☐ **effort** 名 [éfərt] 努力	make an effort to *do*　～するための努力をする

☐ **electricity** 名 [ilektrísəti] 電気	▶ electric 形 電気の，電気で動く electric power company　電力会社 ▶ electrical 形 電気の，電気で動く
☐ **electronic** 形 [ilèktránik] 電子の	electronic book　電子書籍 ▶ electronically 副 電子的に
☐ **else** 形 副 [éls] ほかの[に]	類 otherwise 副 そうでなければ
☐ **emergency** 名 [imə́ːrdʒənsi] 緊急事態，非常事態	▶ emerge 動 現れる ▶ emergent 形 緊急の，不意の ▶ emergence 名 出現
☐ **employ** 動 [implɔ́i] 雇う	▶ employee 名 従業員 ▶ employer 名 雇用主 ▶ employment 名 雇用
☐ **empty** 形 [émpti] 空(から)の，無意味な	▶ emptiness 名 空(から)，空虚
☐ **endless** 形 [éndlis] 永遠の，果てしない	▶ endlessly 副 果てしなく
☐ **enemy** 名 [énəmi] 敵	類 rival 名 競争相手
☐ **energy** 名 [énərdʒi] 活力，エネルギー	full of energy　元気いっぱいで ▶ energetic 形 精力的な ▶ energize 動 元気づける
☐ **engine** 名 [éndʒin] 機関，エンジン	▶ engineer 名 技師，エンジニア
☐ **enough** 形 名 副 [inʌ́f] 十分(な，に)	類 adequate 形 十分な量の
☐ **entertain** 動 [èntərtéin] もてなす，楽しませる	▶ entertainment 名 もてなし，娯楽 ▶ entertaining 形 おもしろい ▶ entertainer 名 芸能人

☐ **entrance** 名 [éntrəns] 入口，入学	entrance examination　入学試験 反 exit 名 出口
☐ **environment** 名 [inváiərənmənt] 環境，周囲	▶ environmental 形 周囲の，環境の environmental friendly　環境にやさしい
☐ **equal** 形 [íːkwəl] 平等な，等しい	▶ equality 名 平等 ▶ equally 副 等しく
☐ **escape** 動 名 [iskéip] 逃げる，脱出，逃亡	narrow escape　間一髪 類 avoid 動 避ける
☐ **especial** 形 [ispéʃəl] 特別の	▶ especially 副 とくに
☐ **euro** 名 [júərou] ユーロ(EU の通貨単位)	▶ Europe 名 ヨーロッパ
☐ **even** 形 副 [íːvən] 平らな，等しい，〜でさえ	▶ evenly 副 平等に，平らに 類 level 形 水平な
☐ **event** 名 [ivént] 出来事，事件，イベント	▶ eventual 形 最後の ▶ eventually 副 ついに
☐ **exact** 形 [igzǽkt] 正確な	▶ exactly 副 正確に，確かに
☐ **examine** 動 [igzǽmin] 調べる	▶ examination 名 試験(＝ exam) under examination　調査中で
☐ **excellent** 形 [éksələnt] 卓越した，すばらしい	▶ excellence 名 秀でていること，卓越
☐ **except** 前 動 [iksépt] 〜を除いて，除外する	▶ exception 名 除外，例外

☐ **exchange** 動 名 [ikstʃéindʒ] 交換(する)，両替(する)	in exchange for　〜と交換に ▶ exchanger　名 両替商
☐ **excuse** 動 名 [ikskjúːz | ikskjúːs] 〜を許す，言い訳，口実	類 forgive　動 〜を許す
☐ **exercise** 名 動 [éksərsàiz] 運動(する)	類 practice　動 〜を練習する
☐ **exhibit** 動 [igzíbit] 展示する，表す	▶ exhibition　名 展示，公開，展覧会 on exhibition　展示中で
☐ **exist** 動 [igzíst] 存在する	▶ existence　名 存在 ▶ existing　形 現存する
☐ **expect** 動 [ikspékt] 期待[予期]する	▶ expectation　名 期待，予期 beyond expectation(s)　予想以上に
☐ **expensive** 形 [ikspénsiv] 高価な	▶ expense　名 出費 at any expense　どんなに費用がかかっても ▶ expend　動 費やす，使う
☐ **experience** 動 名 [ikspíəriəns] 経験(する)	▶ experienced　形 経験豊かな
☐ **experiment** 動 名 [ekspérəmènt] 実験(する)	▶ experimental　形 実験の
☐ **expert** 名 形 [ékspəːrt | ékspəːrt] 熟達者，熟練した	▶ expertly　副 うまく
☐ **explain** 動 [ikspléin] 説明する	▶ explanation　名 説明
☐ **explore** 動 [iksplɔ́ːr] 探検する	▶ explorer　名 探検家 ▶ exploration　名 探検

☐ **express** 動 [iksprés] 表現する，表す	▶ expression 名 表現 ▶ expressive 形 表現に富む
☐ **extra** 形 名 [ékstrə] 余分(の)，エキストラ	extra charge 追加料金 類 additional 形 追加の
☐ **face** 名 動 [féis] 顔，面する，直面する	face to face 向かいあって lose face 面目を失う 類 confront 動 (困難など)に直面する
☐ **factor** 名 [fǽktər] 要素，要因	類 element 名 要素，成分
☐ **fail** 動 名 [féil] 失敗する，失敗	▶ failure 名 失敗
☐ **fair** 形 [fέər] 公平な，かなりの	▶ fairly 副 かなり，公平に ▶ fairness 名 公平さ
☐ **familiar** 形 [fəmíljər] 熟知した，よく知っている	▶ familiarity 名 精通していること 類 unfamiliar 形 なじみの薄い
☐ **fantastic** 形 [fæntǽstik] 素晴らしい，空想的な	▶ fantasy 名 空想，夢想
☐ **far** 形 副 [fáːr] 遠い，(時間が)離れて	▶ farther (further) 形 副 より遠い，いっそう
☐ **fashion** 名 [fǽʃən] 流行，ファッション	▶ fashionable 形 流行の 類 trend 名 流行
☐ **fat** 形 名 [fǽt] 太った，脂肪	類 overweight 形 重量超過の 反 lean 形 やせた，貧弱な 反 thin 形 (やつれて)ほそい，やせた
☐ **fault** 名 [fɔ́ːlt] 欠点，失敗，欠陥	find fault with ～ ～のあら探しをする 類 mistake 名 間違い

☐ **favor** 名 [féivər] 好意，親切	in favor of ～　～に賛成して ▶ favorable 形 好意的な ▶ favorite 形 お気に入りの
☐ **fear** 名 動 [fíər] 恐れ，恐れる	▶ fearful 形 恐ろしい ▶ fearless 形 恐れない
☐ **feed** 動 [fíːd] ～に食べ物を与える	▶ food 名 食べ物
☐ **fever** 名 [fíːvər] 熱，熱狂	類 frenzy 名 熱狂，逆上
☐ **fight** 名 動 [fáit] 戦い，戦闘，戦う	have a fight with ～　～と口論(けんか)する 類 battle 名 戦い
☐ **figure** 名 動 [fígjər] 数字，像，計算する，理解する	▶ figurative 形 比喩的な，象徴的な
☐ **fill** 動 [fíl] 満たす	反 empty 動 空にする
☐ **final** 形 [fáinl] 最後の，最終の	▶ finally 副 ついに，とうとう，最終的に ▶ finalize 動 決着をつける
☐ **fit** 形 動 [fít] 適した，健康な，適合する	▶ fitness 名 適合，健康
☐ **flash** 名 [flǽʃ] 閃光，瞬間，ひらめき	▶ flashlight 名 懐中電灯，閃光
☐ **flat** 形 名 [flǽt] 平らな，きっぱりした	fall flat　ばったり倒れる 類 level 形 水平な
☐ **flavor** 名 動 [fléivər] 風味，趣を添える	類 taste 名 動 味，味わう

☐ **flow** 動 名 [flóu] 流れる，流れ	flow chart　フローチャート，流れ図 類 stream 名 小川，流れ
☐ **fold** 動 [fóuld] ～を折りたたむ	類 bend 動 ～を曲げる
☐ **follow** 動 [fálou] ついていく，追跡する	▶ follower 名 信奉者，フォロワー ▶ following 形 名 次の，～に続いて
☐ **forecast** 名 動 [fɔ́ːrkæ̀st] 予報(する)，予言(する)	▶ forecaster 名 天気予報士
☐ **foreign** 形 [fɔ́ːrən] 外国の	foreign language　外国語 ▶ foreigner 名 外国人
☐ **forever** 副 [fərévər] 永遠に	類 always 副 いつも，いつでも
☐ **forgive** 動 [fərgív] 許す，容赦する	変化 **forgive - forgave - forgiven** ▶ forgiveness 名 寛大さ ▶ forgiving 形 寛大な
☐ **form** 名 動 [fɔ́ːrm] 形(づくる)，姿	類 uniform 名 (uni「単一の」＋ form) ユニフォーム，制服
☐ **formal** 形 [fɔ́ːrməl] 正式の，公式の	反 informal 形 非公式の，打ち解けた
☐ **fortune** 名 [fɔ́ːrtʃən] 幸運，運	▶ fortunate 形 幸運な ▶ unfortunate 形 不運な
☐ **fossil** 名 形 [fásəl] 化石(の)	▶ fossil fuel 名 化石燃料
☐ **frank** 形 [frǽŋk] 率直な，気楽な，フランクな	▶ frankly 副 率直に，正直に

☐ **freeze** 動 名 [fríːz] 凍る，凍結，フリーズ	**Freeze**!　動くな！ ▶ frozen 形 凍った，こごえる
☐ **fresh** 形 [fréʃ] 新鮮な	▶ freshness 名 新鮮さ ▶ freshman 名 （大学の）1年生，新入生
☐ **fright** 名 [fráit] 恐怖	▶ frighten 動 ぎょっとさせる ▶ frightening 形 恐ろしい
☐ **front** 名 形 動 [frʌ́nt] 前部（の），正面（の），面する	in front of ～　～の前に［で］ 反 back 名 形 副 背，後部，後ろの，後ろへ
☐ **fulfill** 動 [fulfíl] 満たす	類 satisfy 動 ～を満足させる
☐ **furniture** 名 [fə́ːrnitʃər] 家具	a piece of furniture　1つの家具
☐ **further** 副 [fə́ːrðər] さらに	I can't move a step **further**. **もう**一歩も動けない。 類 farther 副 さらに（far の比較級）
☐ **future** 名 [fjúːtʃər] 未来	in the near future　近い将来
☐ **gain** 動 [géin] 得る，稼ぐ	gain a friend　友人を得る 反 lose 動 失う
☐ **gallery** 名 [gǽləri] 聴衆，見物人，画廊	類 audience 名 聴衆，観客，視聴者
☐ **garbage** 名 [gáːrbidʒ] 生ごみ	garbage dump　ごみ捨て場
☐ **gather** 動 [gǽðər] 集める	▶ gathering 名 集会，集まり

☐ **general** 形 [dʒénərəl] 一般の，普通の，総称的な	▶ generally 副 一般的に
☐ **generate** 動 [dʒénərèit] ～を生み出す	▶ generation 名 世代 ▶ generator 名 発電機
☐ **gentle** 形 [dʒéntl] 優しい，穏やかな，親切な	▶ gently 副 穏やかに ▶ gentleman 名 紳士
☐ **gesture** 名 [dʒéstʃər] 身ぶり	communicate by gesture 身ぶりで伝える
☐ **gift** 名 動 [gíft] 贈り物，才能，贈呈する	類 present 名 贈り物 類 ability 名 能力，才能
☐ **goal** 名 [góul] 目標，ゴール	類 purpose 名 目的，意図
☐ **grade** 名 [gréid] 等級，学年，成績	make the grade 合格する 類 class 名 クラス，学級 類 order 名 順序
☐ **gradual** 形 [grǽdʒuəl] 徐々の	▶ gradually 副 次第に，だんだんと
☐ **graduate** 動 [grǽdʒuèit] 卒業する	▶ graduation 名 卒業
☐ **greatly** 副 [gréitli] 大いに，非常に	▶ great 形 偉大な，大きな
☐ **grocery** 名 [gróusəri] 食料雑貨店	▶ groceries 名 食料雑貨類
☐ **grow** 動 [gróu] 育つ，成長する	変化 **grow - grew - grown** grow up 成長する ▶ growth 名 成長

☐ **guard** 名 動 [gá:rd] 護衛者，守る，見張る	on (*one's*) guard　見張って，警戒して guard dog　番犬
☐ **guess** 動 名 [gés] 推測(する)，思う	guessing game　謎解きゲーム by guess　当てずっぽうで
☐ **guest** 名 [gést] (宿泊・招待)客	類 customer　名 (商店，企業の)客
☐ **guide** 名 動 [gáid] 案内(する)，ガイド	guide dog　盲導犬 ▶ guidance　名 指導，案内
☐ **habit** 名 [hǽbit] 習慣	▶ habitual　形 習慣の
☐ **handle** 名 動 [hǽndl] 取っ手，ハンドル，取り扱う	▶ handling　名 取り扱い 類 (steering) wheel　名 自動車のハンドル
☐ **handsome** 形 [hǽnsəm] かなりの，(顔立ちが)整った	▶ handsomely　副 気前よく，すばらしく
☐ **hang** 動 [hǽŋ] 掛ける，吊るす，下げる	変化 **hang - hung - hung** **Hang** in there.　頑張れ。 ▶ hanger　名 ハンガー
☐ **hardly** 副 [há:rdli] ほとんど～ない	Speak louder. I can **hardly** hear you. もっと大きな声で話してください。あなたの言っていることが**ほとんど**聞き取れ**ません**。
☐ **harm** 名 動 [há:rm] 害(する)	▶ harmful　形 有害な ▶ harmless　形 無害の
☐ **harvest** 名 動 [há:rvist] 収穫(する)	類 crop　名 動 作物，収穫する
☐ **health** 名 [hélθ] 健康	mental health　精神衛生 health center　医療センター ▶ healthy　形 健康的な

☑ **height** 名 [háit] 高さ，高度，絶頂	▶ high 形 高い
☑ **helpful** 形 [hélpfəl] 役に立つ	▶ helpless 形 無力な 類 useful 形 役に立つ
☑ **hero** 名 [híərou] 英雄，ヒーロー，主人公	▶ heroine 名 女主人公，ヒロイン
☑ **hide** 動 [háid] 隠す	変化 **hide - hid - hidden** hide-and-seek 隠れんぼう 類 conceal 動 隠す，隠ぺいする
☑ **hire** 動 [háiər] 雇う	▶ hirer 名 雇い主
☑ **hit** 動 名 [hít] 打つ，命中(する)，打撃	変化 **hit - hit - hit** hit-and-run ヒットエンドラン(の)
☑ **hold** 動 [hóuld] 持つ，抱く，開催する	変化 **hold - held - held** hold up ～ ～を持ち上げる，～を支持する 類 take place 行われる
☑ **honest** 形 [ánist] 正直な，誠実な	to be honest 正直に言って ▶ honesty 名 正直，誠実
☑ **honey** 名 [hʌ́ni] 蜂蜜，(呼びかけ)あなた	類 darling 名 最愛の人，(呼びかけ)あなた，おまえ
☑ **honor** 名 動 [ánər] 名誉，尊敬，栄誉を与える	▶ honorable 形 立派な，高貴な
☑ **hopefully** 副 [hóupfəli] 希望を持って，願わくば	▶ hope 動 名 望む，希望 ▶ hopeful 形 有望な ▶ hopeless 形 見込みのない
☑ **horizon** 名 [həráizn] 地平線，水平線	▶ horizontal 形 地[水]平線の，横の

☐ **host** 名 [hóust] 主人，主催者	He is a good **host**. 彼は良い**主催者**だ。 反 guest 名 客，来賓
☐ **housework** 名 [háuswə̀ːrk] 家事	類 housekeeping 名 家事
☐ **however** 副 [hauévər] どんなに〜でも，しかしながら	類 but 接 けれども，しかし
☐ **huge** 形 [hjúːdʒ] 巨大な，莫大(ばくだい)な	類 vast 形 (平面的に)巨大な 反 tiny 形 ごく小さい
☐ **human** 名 形 [hjúːmən] 人(の)	human being 人間 ▶ humanity 名 人間性
☐ **hunt** 名 動 [hʌ́nt] 狩り，狩る	▶ hunter 名 狩人 ▶ hunting 名 狩猟，追求
☐ **idea** 名 [aidíːə] 思想，概念，アイデア	▶ ideal 形 理想的な
☐ **ignore** 動 [ignɔ́ːr] 無視する	▶ ignorant 形 無知な，知らない ▶ ignorance 名 無知，無学
☐ **ill** 形 [íl] 病気の	speak ill of 〜 〜の悪口を言う ▶ illness 名 病気
☐ **image** 名 [ímidʒ] 画像，イメージ	▶ imagine 動 想像する ▶ imaginary 形 想像上の ▶ imagination 名 想像力，空想
☐ **immediately** 副 [imíːdiətli] すぐに，ただちに	They left **immediately**. 彼らは**すぐに**立ち去った。 ▶ immediate 形 即座の，当面の
☐ **import** 動 名 [impɔ́ːrt | ímpɔːrt] 輸入(する)	反 export 動 名 輸出(する)

☐ **impress** 動 [imprés] 印象づける	▶ impression　名 印象 first impression　第一印象
☐ **improve** 動 [imprúːv] 改善[改良]する	▶ improvement　名 改善，回復
☐ **include** 動 [inklúːd] 含む	▶ inclusion　名 含有
☐ **increase** 動 名 [inkríːs | ínkriːs] 増加(する)	反 decrease　動 名 減少(する) ▶ increasingly　副 ますます
☐ **industry** 名 [índəstri] 産業，勤勉	▶ industrial　形 工[産]業の industrial nation　工業国 ▶ industrious　形 勤勉な
☐ **influence** 名 動 [ínfluəns] 影響，影響をおよぼす	We are **influenced** by our environment. 我々は環境によって**左右される**。 ▶ influenza　名 インフルエンザ
☐ **injure** 動 [índʒə*r*] 傷つける	▶ injured　形 傷ついた ▶ injury　名 けが，傷害
☐ **insect** 名 [ínsekt] 昆虫，虫	類 bug　名 昆虫 類 worm　名 (みみずなどの)虫
☐ **inside** 前 副 名 [ìnsáid] ～の中に，内部へ，内部	▶ insider　名 内部の人
☐ **instead** 副 [instéd] その代わりに	instead of ～　～の代わりに
☐ **instruct** 動 [instrʌ́kt] 教える	▶ instructive　形 教育的な ▶ instruction　名 指示，教育
☐ **instrument** 名 [ínstrəmənt] 器具，道具	▶ instrumental　形 助けになる，手段となる，楽器の

☐ **intelligent** 形 [intélədʒənt] 知的な	▶ intelligence 名 知性
☐ **interview** 名 動 [íntərvjùː] 面接，会見，会談(する)	▶ interviewee 名 インタビューされる人 ▶ interviewer 名 インタビューする人
☐ **introduce** 動 [ìntrədjúːs] 紹介する	▶ introduction 名 導入，紹介
☐ **invent** 動 [invént] 発明する	▶ invention 名 発明(の才，品) ▶ inventor 名 発明家
☐ **issue** 名 動 [íʃuː] 発行(する)，問題	類 publish 動 出版[発行]する
☐ **item** 名 [áitəm] 事項，品目	an item of furniture 家具1点
☐ **join** 動 [dʒɔ́in] 〜に参加する，つなぐ	join hands with 〜 〜と手をつなぐ ▶ joint 名 継ぎ目
☐ **journey** 名 動 [dʒə́ːrni] 旅，旅行する	類 trip 名 旅行
☐ **judge** 名 動 [dʒʌ́dʒ] 裁判官，審判，裁く	judging from [by] 〜 〜から判断すると ▶ judgment 名 判断，判定，判決
☐ **kick** 動 名 [kík] ける，キック(する)	類 punch 名 動 パンチ，〜をげんこつで殴る
☐ **knowledge** 名 [nálidʒ] 知識	to *one's* knowledge 知る限りでは ▶ know 動 知る，知っている
☐ **lately** 副 [léitli] 最近，このごろ	He has grown fat **lately**. 彼は**最近**太った。 ▶ late 形 副 遅い，このごろ，遅く

☐ **lay** 動 [léi] 置く，横たえる	(変化) **lay - laid - laid** lay out ～　～を広げる ▶ layer　名 (地)層
☐ **lazy** 形 [léizi] だらしない，怠惰な	反 energetic　形 精力的な
☐ **lead** 動 [lí:d] 案内する，導く，指導する	(変化) **lead - led - led** ▶ leader　名 指導者，リーダー ▶ leadership　名 統率(力)
☐ **leave** 動 [lí:v] 出発する，(～のままに)しておく	(変化) **leave - left - left** **Leave** me alone.　一人に**しておいて**。
☐ **legal** 形 [lí:gəl] 法律(上)の	反 illegal　形 違法の
☐ **lend** 動 [lénd] 貸す	(変化) **lend - lent - lent** 類 rent　動 賃貸りする
☐ **licence** 名 動 [láisəns] 許可，免許(状)，認可する	類 permit　動 許可する
☐ **lifetime** 名 形 [láiftàim] 終生(の)	lifetime employment　終身雇用 類 life　名 一生
☐ **lift** 動 名 [líft] 持ち上げる，向上させる(こと)	lift a spirit　士気をあげる
☐ **likely** 形 [láikli] しそうな，ありそうな	熟 be likely to *do*　～しそうだ 類 possible　形 起こりうる，ありうる
☐ **limit** 名 動 [límit] 制限(する)	▶ limitation　名 制限，制限された状態 ▶ limited　形 限界のある
☐ **liquid** 形 名 [líkwid] 液体(の)	Water is a **liquid**. 水は**液体**だ。 *cf.* gas　名 気体

☐ **local** 形 [lóukəl] 地元の，地方の	類 provincial 形 田舎の
☐ **locate** 動 [lóukeit] 位置する，位置を突き止める	▶ location 名 位置，立地条件
☐ **lock** 名動 [lák] かぎ(をかける)	▶ locker 名 ロッカー locker room ロッカールーム
☐ **lonely** 形 [lóunli] 孤独な	類 alone 形 一人の，孤独な
☐ **long** 動 [lɔ́:ŋ] 熱望する	▶ longing 名形 熱望(する)
☐ **lose** 動 [lú:z] 失う，負ける，失敗する	変化 **lose - lost - lost** ▶ lost 形 失った，道に迷った ▶ loss 名 損失，損害
☐ **loudly** 副 [láudli] 大声で	He spoke **loudly**. 彼は**大声で**話した。 ▶ aloud 副 声に出して，聞こえるように
☐ **luck** 名 [lʌ́k] 運，幸運	good luck 幸運 ▶ lucky 形 幸運な，ラッキーな ▶ luckily 副 幸運にも，運よく
☐ **main** 形 [méin] おもな，主要な	▶ mainly 副 おもに
☐ **male** 名形 [méil] 男(の)	反 female 名形 女(の)
☐ **march** 名動 [má:*r*tʃ] 行進(する)	類 parade 名動 パレード，行進する
☐ **market** 名 [má:*r*kit] 市場(いちば・しじょう)	There is a **market** here on Sundays. ここでは日曜日に**市**が立ちます。 on the market 売りに出されて

☐ **marry** 動 [mǽri] 結婚する	▶ marriage 名 結婚 ▶ married 形 結婚した
☐ **match** 名 動 [mǽtʃ] 試合，好敵手，似合う	類 game 名 試合 類 suit 動 似合う
☐ **material** 名 形 [mətíəriəl] 材料，原料，物質の	反 spiritual 形 精神的な，精神の
☐ **matter** 名 [mǽtər] 問題，事柄	as a matter of fact 実のところ No **matter**. **たいしたこと**ではないよ。
☐ **meal** 名 [míːl] 食事	meal ticket 食券 ▶ dinner 名 (1日のうちで主要な)食事
☐ **measure** 名 動 [méʒər] 寸法，測定(する)，測定器	▶ measurement 名 測定，寸法 類 size 名 大きさ，寸法
☐ **media** 名 [míːdiə] マスコミ，情報伝達手段	▶ medium 名 形 情報伝達手段，中間の
☐ **medicine** 名 [médəsin] 薬，医学	▶ medical 形 医学[医療]の ▶ medicate 動 薬で治療する ▶ medication 名 薬物治療
☐ **melt** 動 [mélt] 溶ける	▶ melting 形 心を和ませる ▶ meltdown 名 炉心融解
☐ **memory** 名 [méməri] 記憶(力)	▶ memorize 動 記憶[暗記]する ▶ memorial 名 形 記念物，記念の
☐ **mention** 動 名 [ménʃən] 言及(する)	not to mention ～ ～は言うまでもなく Even the serious papers **mentioned** their marriage. 堅い新聞までが彼らの結婚に**言及した**。
☐ **mess** 名 [més] 混乱，ごみの山	▶ messy 形 めちゃくちゃな，散らかった

☐ **messenger** 名 [mésəndʒər] 使者	▶ message 名 伝言
☐ **method** 名 [méθəd] 方法	類 way 名 仕方，方法 類 manner 名 方法，やり方
☐ **middle** 名 形 [mídl] 中央(の)，中間(の)	類 center 形 中心の，主要な 類 medium 名 形 中間，中間の
☐ **mild** 形 [máild] おとなしい，穏やかな，優しい	▶ mildness 名 温和であること ▶ mildly 副 優しく
☐ **mind** 名 動 [máind] 心，精神，気にする	keep ～ in mind ～を心に留めておく 類 heart 名 心，気持ち
☐ **miniature** 名 [míniətʃər] 縮小模型(図)	類 model 名 模型
☐ **mirror** 名 動 [mírər] 鏡，映し出す	She looked at herself in the **mirror**. 彼女は**鏡**に自分の姿を映してみた。 mirror image よく似たもの
☐ **miss** 名 動 [mís] しそこなう，失敗(する)	miss the bus バスに遅れる miss the exam 試験を受けそこなう ▶ missing 形 欠けている，行方不明の
☐ **mistake** 名 動 [mistéik] 誤り，失策，失敗する	変化 **mistake - mistook - mistaken** 類 fail 動 名 失敗(する)
☐ **mobile** 形 [móubəl] 可動性の	mobile phone 携帯電話
☐ **modern** 形 [mádərn] 現代の，近代の	反 ancient 形 古代の
☐ **moment** 名 [móumənt] 瞬間	at the moment そのとき ▶ momentary 形 瞬間的な，つかの間の

☐ **moreover** 副 [mɔːróuvər] そのうえ	類 furthermore 副 おまけに，さらに
☐ **move** 動 [múːv] 動く，動かす，引っ越す	▶ movement 名 動き，運動，動作
☐ **narrow** 形 動 [nǽrou] 狭い，狭くする	narrow victory 辛勝 ▶ narrowly 副 かろうじて 反 broad 形 広い
☐ **nature** 名 [néitʃər] 自然，性質	by nature 生まれつき ▶ natural 形 自然な，当然の ▶ naturally 副 自然に，当然
☐ **near** 形 副 動 [níər] 近い，近く，近づく	▶ nearly 副 ほとんど
☐ **nearby** 形 副 [nìərbái] すぐ近くの[に]	反 distant 形 離れた
☐ **necessary** 形 [nésəsèri] 必要な	▶ necessity 名 必要性 ▶ necessarily 副 （否定文で）必ずしも～ではない
☐ **neighbor** 名 [néibər] 隣人	▶ neighborhood 名 近所
☐ **nervous** 形 [nə́ːrvəs] 神経質な	▶ nerve 名 神経 ▶ nervously 副 神経質に，いらいらして
☐ **noise** 名 動 [nɔ́iz] 雑音，騒音，騒ぐ	make a noise 音を立てる ▶ noisy 形 騒がしい ▶ noisily 副 騒々しく
☐ **none** 代 [nʌ́n] だれも[何も，一つも]～ない	類 neither 代 （２者のうち）どちらも～ない
☐ **normal** 形 [nɔ́ːrməl] 正常な	反 abnormal 形 異常な ▶ norm 名 基準，ノルマ ▶ normally 副 普通は

☐ **note** 名 動 [nóut] メモ，覚書，注意する	▶ notable 形 注目に値する ▶ noted 形 有名な ▶ notebook 名 ノート
☐ **notice** 名 動 [nóutis] 注意，注目，気づく	類 know 動 知る，知っている
☐ **novel** 名 形 [nάvəl] 小説，新奇な	▶ novelist 名 （長編）小説家
☐ **nuclear** 形 [njúːkliər] 核の，核兵器の	nuclear power 原子力 ▶ nuclear-free 形 核を保有しない，非核の
☐ **object** 名 動 [άbdʒikt | əbdʒékt] 物，目的（語），反対する	What is that strange **object** flying in the sky? あの空を飛んでいる変な**もの**は何ですか？ ▶ objection 名 異論，反論
☐ **offer** 名 動 [ɔ́ːfər] 提供（する），差し出す	▶ offering 名 提供，献金
☐ **office** 名 [ɔ́ːfis] 事務所	▶ official 形 名 公式の，役人 ▶ officer 名 警官，将校
☐ **once** 副 [wʌ́ns] かつて，一度	once a week 週１回 *cf.* ever 副 これまでに，一度でも
☐ **operate** 動 [άpərèit] 操作する，手術する，経営する	▶ operation 名 操作，手術，作戦 ▶ operator 名 操作者，オペレーター
☐ **opinion** 名 [əpínjən] 意見	in my opinion 私の意見では opinion leader 世論を導く人 類 view 名 意見，見解
☐ **option** 名 [άpʃən] 選択（権）	▶ opt 動 選ぶ ▶ optional 形 選択できる
☐ **order** 名 動 [ɔ́ːrdər] 順序，注文（する），命令（する）	out of order （機械が）故障して 反 disorder 名 動 混乱，乱す

☐ **ordinary** 形 [ɔ́ːrdənèri] 普通の，ありふれた	反 extraordinary 形 並外れた
☐ **organize** 動 [ɔ́ːrgənàiz] ～を組織する	▶ organization 名 組織
☐ **origin** 名 [ɔ́ːrədʒin] 起源	▶ original 形 独創的な，最初の，原文の ▶ originally 副 本来，はじめは ▶ originate 動 生じる，始まる
☐ **other** 形 代 [ʌ́ðər] ほかの(もの)，別の(もの)	the other ～ もう一方の～ the other day 先日 one after the other 次々と
☐ **otherwise** 副 [ʌ́ðərwàiz] ほかの点では，さもなければ	類 if 接 そうであれば
☐ **outside** 名 形 副 [áutsáid] 外部(の・に)	▶ outsider 名 よそ者，部外者
☐ **own** 形 動 [óun] 自分自身の，所有する	▶ owner 名 所有者，オーナー ▶ ownership 名 所有権
☐ **pack** 名 動 [pǽk] 包み，包む	▶ package 名 荷物，一括 ▶ packet 名 小さな束，パケット
☐ **partner** 名 [pάːrtnər] 配偶者，パートナー	dancing partner ダンスのパートナー ▶ partnership 名 協力(関係)，提携
☐ **passenger** 名 [pǽsəndʒər] 乗客	類 customer 名 顧客
☐ **past** 名 形 [pǽst] 過去(の)	in the past かつて，昔は 類 former 形 前の，もとの
☐ **pay** 動 [péi] 支払う，(注意など)を払う	変化 **pay - paid - paid** ▶ payment 名 支払い

☐ **peace** 名 [píːs] 平和，安心	in peace 安らかに，仲良く ▶ peaceful 形 穏やかな，平和的な
☐ **perform** 動 [pərfɔ́ːrm] ～を演じる，達成する	▶ performance 名 上演，実行，達成，成績 ▶ performer 名 役者，演奏者
☐ **perhaps** 副 [pərhǽps] たぶん，おそらく	類 maybe 副 もしかしたら
☐ **personal** 形 [pə́ːrsənl] 個人的な，個人の	personal history 履歴 ▶ personality 名 個性，性格
☐ **photograph** 名 [fóutəgræ̀f] 写真	▶ photographer 名 写真家
☐ **physically** 副 [fízikəli] 身体的に，物理的に	▶ physician 名 医師 *cf.* mentally 副 精神的に
☐ **piece** 名 [píːs] 一部分，ひとつ	a piece of paper 1枚の紙 a piece of cake たやすいこと
☐ **pigeon** 名 [pídʒən] ハト	類 crow 名 カラス
☐ **plain** 形 [pléin] 明白な，平易な，地味な	▶ plainly 副 はっきりと，あきらかに
☐ **planet** 名 [plǽnit] 惑星	▶ planetarium 名 プラネタリウム
☐ **plant** 名 動 [plǽnt] 工場，植物，植える	power plant 発電所 ▶ plantation 名 大農園
☐ **plate** 名 [pléit] 皿，板(金・ガラス)	類 dish 名 (料理をテーブルまで運ぶときに使う深い)皿，料理

☐ **plenty** 名 形 [plénti] 十分，たくさん(の)	plenty of ～　たくさんの～ ▶ plentiful　形 豊富な，多くの ▶ plentifully　副 豊富に，たくさん
☐ **police** 名 [pəlíːs] 警察，警官隊	police box　交番 ▶ policeman　名 警官 類 officer　名 警官
☐ **popular** 形 [pápjulər] 人気のある	▶ popularity　名 人気 ▶ population　名 人口
☐ **portable** 形 [pɔ́ːrtəbl] 運搬できる，携帯用の	類 mobile　形 可動性の
☐ **position** 名 [pəzíʃən] 場所，地位，立場	類 level　名 地位
☐ **positive** 形 [pázətiv] 前向きな，肯定的な	反 negative　形 否定的な
☐ **possible** 形 [pásəbl] 可能な, 起こりうる, ありうる	反 impossible　形 不可能な ▶ possibility　名 可能性 ▶ possibly　副 ことによると
☐ **pound** 名 [páund] ポンド	英国の重さ・貨幣の単位。1ポンドは約454グラム。
☐ **pour** 動 [pɔ́ːr] 注ぐ，浴びせる	類 flow　動 注ぐ，流れる
☐ **practice** 名 動 [prǽktis] 練習(する)，実行(する)	▶ practical　名 実際[実地]の ▶ practically　副 実際に[は] 類 act　動 実行する
☐ **pray** 動 [préi] 祈る，懇願する	▶ prayer　名 祈り，祈願
☐ **prefer** 動 [prifə́ːr] 好む	prefer *A* to *B*　BよりもAを好む ▶ preference　名 好み，ひいき

☐ **present** 動 名 [prizént | préznt] 贈る，提出する，贈り物	▶ presentation 名 贈呈，発表，提出
☐ **president** 名 [prézədənt] 大統領，社長，総長	▶ presidential 形 大統領の
☐ **press** 動 名 [prés] 押しつける，新聞，出版(物)	▶ pressure 名 圧力，圧迫，気圧，プレッシャー under pressure 迫られて
☐ **pretend** 動 [priténd] ふりをする	pretend to be ill 仮病を使う ▶ pretense 名 見せかけ，ふり
☐ **prevent** 動 [privént] 妨げる，妨害する	▶ prevention 名 防止 ▶ preventive 形 予防の preventive medicine 予防薬(医学)
☐ **pride** 名 [práid] 誇り，自尊心	▶ proud 形 誇りに思って 熟 be proud of ～ ～を誇りに思う
☐ **principal** 形 名 [prínsəpəl] おもな，重要な，校長	類 main 形 おもな，主要な
☐ **private** 形 [práivət] 個人の，私立の	private high school 私立高校 ▶ privacy 名 私生活，プライバシー
☐ **prize** 名 [práiz] 賞，賞品	Nobel prize ノーベル賞
☐ **probably** 副 [prɑ́bəbli] たぶん	▶ probable 形 ありそうな ▶ probability 名 ありえること，可能性 類 perhaps 副 たぶん，おそらく
☐ **produce** 動 [prədjú:s] 生産する	▶ product 名 製品 ▶ production 名 生産 ▶ productive 形 生産的な
☐ **profession** 名 [prəféʃən] 職業	▶ professional 形 職業の，プロの ▶ professor 形 教授

☐ **progress** 名 動 [prágres | prəgrés] 進歩(する)	▶ progressive 形 進歩的な
☐ **project** 動 名 [prədʒékt | prádʒekt] 企画(する)，発射する	▶ projection 名 推定，企画
☐ **promise** 名 動 [prámis] 約束(する)	▶ promising 形 前途有望な
☐ **pronounce** 動 [prənáuns] 発音する，宣言する	▶ pronunciation 名 発音
☐ **proof** 名 [prú:f] 証明，証拠	▶ prove 動 証明する
☐ **protect** 動 [prətékt] 守る，保護する	▶ protection 名 保護(者) ▶ protective 形 防御の ▶ protector 名 保護者，保護装置
☐ **protest** 動 名 [prətést | próutest] 抗議(する)	The worker **protested** the work. 労働者はその仕事に**抗議をした**。 express a protest 異議を唱える
☐ **provide** 動 [prəváid] 供給する，規定する	We **provided** the children with lunch. 我々は子どもたちに昼食を**供給した**。 ▶ provision 名 供給，備え，規定
☐ **psychology** 名 [saikálədʒi] 心理学	▶ psychological 形 心理学の ▶ psychologist 名 心理学者
☐ **public** 形 [pʌ́blik] 公(共)の，公立の	▶ publicly 副 公然と ▶ publication 名 発行，発表，出版 反 private 形 私的な
☐ **pull** 動 名 [púl] 引く(こと)	pull back 引っ込める 類 draw 動 (線を)引く，～を引っぱる
☐ **pure** 形 [pjúər] 純粋な	pure and simple まったくの，純然たる ▶ purely 副 まったくの，純粋に ▶ pureness 名 純粋

☐ **purpose** 名 動 [pə́ːrpəs] 目的，意図，決意(する)	on purpose　わざと 類 aim　名 ねらい，意図
☐ **push** 動 名 [púʃ] 押す(こと)	push aside　わきに置く push up　押し上げる 反 pull　動 ～を引く
☐ **quality** 名 [kwáləti] 品質，特性	quality of life　生活の質 ▶ qualify　動 資格を与える ▶ qualification　名 資格
☐ **quick** 形 [kwík] 素早い	▶ quickly　副 素早く ▶ quicken　動 速くする
☐ **quiet** 形 [kwáiət] 静かな	▶ quietly　副 静かに
☐ **quit** 動 [kwít] やめる	変化 **quit - quit - quit** I **quit** the job last month. 私は先月その仕事を**やめた**。
☐ **quite** 副 [kwáit] すっかり，まったく	quite a few　かなり多くの 類 completely　副 完全に，すっかり
☐ **raise** 動 名 [réiz] 上げる(こと)，育てる	類 lift　動 持ち上げる
☐ **rapid** 形 [rǽpid] 急速な	▶ rapidly　副 急速に
☐ **rarely** 副 [réərli] めったに～しない	I **rarely** speak at home. 私は家では**めったに**口をきか**ない**。 ▶ rare　形 珍しい，レアな
☐ **rate** 名 動 [réit] 割合，相場，評価(する)	at any rate　とにかく ▶ rating　名 等級，評価 類 proportion　名 分け前，割合
☐ **raw** 形 [rɔ́ː] 生の，加工していない	反 cooked　形 (火・熱で)料理した

☐ **reach** 名 動 [ríːtʃ] 到着する，届く範囲	beyond *one's* reach　手の届かないところに 類 arrive at ～　～に到着する
☐ **real** 形 [ríːəl] 本当の，現実の	▶ realize　動　実現する，実感する ▶ reality　名　現実(性)
☐ **reason** 名 [ríːzn] 原因，理由	▶ reasonable　形　理にかなった
☐ **receive** 動 [risíːv] 受け取る，受け入れる	▶ receipt　名　受け取り，領収(証) ▶ receiver　名　受話器，受取人
☐ **recent** 形 [ríːsnt] 最近の	in recent years　近年は ▶ recently　副　最近
☐ **recipe** 名 [résəpi] 調理法，秘訣	類 secret　名 形　秘密，秘密の
☐ **recognize** 動 [rékəgnàiz] 認識する	▶ recognition　名　認識，承認
☐ **recommend** 動 [rèkəménd] 推薦する，勧告する	▶ recommendation　名　推薦(状)
☐ **record** 動 名 [rikɔ́ːrd | rékərd] 記録(する)	record the day's events　その日の出来事を記録する Olympic record　オリンピック記録
☐ **recover** 動 [rikʌ́vər] 回復する，取り戻す	recover *oneself*　落ち着く ▶ recovery　名　回復，回収
☐ **reduce** 動 [ridjúːs] 減らす	▶ reduction　名　減少，削減
☐ **refresh** 動 [rifréʃ] 元気づける[づく]	▶ refreshment　名　元気を回復させるもの(特に飲食)

☐ **regret** 動 名 [rigrét] 後悔(する)	▶ regretful 形 後悔している ▶ regretfully 副 後悔して, 悲しんで
☐ **regular** 形 [régjulər] 規則正しい, 正規の	反 irregular 形 不規則な ▶ regularly 副 規則正しく
☐ **relax** 動 [rilǽks] くつろぐ, くつろがせる	▶ relaxation 名 くつろぎ, 息抜き ▶ relaxing 形 くつろがせる
☐ **release** 動 名 [rilíːs] 解放[解除, 釈放]する	類 liberate 動 解放する
☐ **rely** 動 [rilái] 頼る	rely on ～ ～に頼る ▶ reliable 形 頼りになる
☐ **remain** 動 名 [riméin] ～のままである, 残り物	▶ remaining 形 残りの, 残っている 反 leave 動 ～を離れる
☐ **remember** 動 [rimémbər] 思い出す, 記憶している	as far as I (can) remember 私の記憶では ▶ remembrance 名 思い出, 記憶
☐ **remind** 動 [rimáind] 思い出させる	熟 remind *A* of *B* AにBを思い出させる ▶ reminder 名 思い出させる人[もの]
☐ **remove** 動 [rimúːv] 移す, 取り除く	▶ removal 名 除去, 移転
☐ **rent** 名 動 [rént] 家賃, 賃料, 賃借する	For Rent 貸し間[家]あり 類 borrow 動 ～を借りる
☐ **repair** 動 名 [ripɛ́ər] 修理(する)	under repair(s) 修理中
☐ **repeat** 動 名 [ripíːt] 繰り返す, 反復	▶ repeatedly 副 繰り返して

☐ **replace** 動 [ripléis] 取って代わる，代理を務める	▶ replacement 名 交代要員
☐ **reply** 動 名 [riplái] 返答(する)，応答(する)	類 answer 動 名 ～に答える，答え
☐ **request** 動 名 [rikwést] 依頼(する)，要望(する)	類 demand 動 名 ～を要求する，要求
☐ **require** 動 [rikwáiə*r*] 要求する	be required to *do* ～しなければならない ▶ requirement 名 要求，必要条件
☐ **rescue** 動 名 [réskjuː] 救助(する)	rescue operation 救助活動 類 save 動 救う
☐ **research** 動 名 [risə́ː*r*tʃ] 研究(する)，調査(する)	▶ researcher 名 研究員，調査員 類 examine 動 調べる
☐ **reserve** 動 名 [rizə́ː*r*v] 取っておく，予約する，予備	▶ reservation 名 予約，保留
☐ **resort** 動 名 [rizɔ́ː*r*t] 頼る，保養地	resort to ～ ～に訴える[頼る] 類 appeal 動 求める，懇願する
☐ **respect** 動 名 [rispékt] 尊敬(する)，尊重(する)	▶ respectable 形 ちゃんとした，立派な ▶ respectful 形 礼儀正しい，丁寧な
☐ **respond** 動 [rispɑ́nd] 応答する	▶ response 名 応答，反応 ▶ responsible 形 責任がある ▶ responsibility 名 責任，義務
☐ **rest** 動 名 [rést] 休息(する)	take a rest 一休みする ▶ the rest 名 残り
☐ **restroom** 名 [réstrùːm] お手洗い	類 bathroom 名 お手洗い

☐ **result** 名 動 [rizʌ́lt] 結果(となる)	as a result　結果として 反 cause　名 動 原因(となる)
☐ **retire** 動 [ritáiər] 退職[引退]する	▶ retirement　名 退職，引退
☐ **return** 動 名 [ritə́ːrn] 戻す，帰還，お返し	in return　返事として，代わりに ▶ returnable　形（再利用のため）返却[回収]できる
☐ **rhythm** 名 [ríðm] 周期，拍子，リズム	play in quick rhythm　速いリズムで演奏する a natural sense of rhythm　天性のリズム感
☐ **ring** 動 [ríŋ] 鳴る	変化 **ring - rang - rung**
☐ **rise** 動 名 [ráiz] 昇る，立ち上がる，上昇	変化 **rise - rose - risen** 反 set　動（太陽・月が）沈む
☐ **rock** 名 [rák] 岩	*cf.* rock　名 動 揺れ(動く)，ロック音楽，揺さぶる
☐ **role** 名 [róul] 役割，役目	play an important role in ～　～に重要な役割を演じる 類 part　名 役，部分
☐ **round** 形 名 動 [ráund] 丸い，一巡(する)	all the year round　年間を通じて ▶ around　前 副 周りに
☐ **route** 名 [rúːt] 道筋，航路，ルート	▶ routine　名 形 いつもの手順，いつもの
☐ **row** 名 [róu] 列，並び	in a row　一列になって，連続して ▶ row　動 名（船を）漕ぐ(こと)
☐ **rule** 名 動 [rúːl] 規則，支配(する)	as a rule　一般に ▶ ruler　名 支配者，定規

☐ **rumor** 名 動 [rúːmər] うわさ(である)	It is **rumored** that he went there. 彼がそこに行ったという**うわさ**がある。
☐ **run** 動 [rʌ́n] 走る，逃げる，経営する	変化 **run - ran - run** ▶ runner 名 走る人，競走者
☐ **sail** 動 名 [séil] 航行(する)，帆	▶ sailor 名 船員，船乗り
☐ **save** 動 [séiv] 救う，節約する，蓄える	▶ saving 名 節約 ▶ savings 名 貯金
☐ **scare** 動 [skέər] 怖がらせる	▶ scary 形 恐ろしい，ぞっとする
☐ **scene** 名 [síːn] 場面，シーン，現場，景色	behind the scenes 陰で make a scene 大騒ぎする ▶ scenery 名 景色，風景
☐ **score** 名 動 [skɔ́ːr] 成績，得点(する)	類 point 名 点数，意見，目的
☐ **scream** 動 名 [skríːm] 叫ぶ，悲鳴	類 screech 動 かん高い声をあげる
☐ **search** 動 名 [sə́ːrtʃ] 検索(する)，調査(する)	in search of ～ ～を探し求めて ▶ searching 形 調査する
☐ **secondhand** 形 [sékəndhǽnd] 中古の	類 used 形 中古の，～に慣れている
☐ **secret** 名 形 [síːkrit] 秘密(の)	▶ secretary 名 秘書，書記，幹事，長官 ▶ secretly 副 秘密に，ひそかに
☐ **seek** 動 [síːk] さがす，求める	変化 **seek - sought - sought** I **sought** advice from her. 私は彼女から助言**を求めた**。

☐ **seem** 動 [síːm] (〜のように)思える	seem like 〜　〜らしい 類 look 動 (〜のように)見える
☐ **seldom** 副 [séldəm] めったに〜しない	反 often 副 しばしば，たびたび 類 hardly 副 ほとんど〜ない
☐ **select** 動 [səlékt] 選ぶ，選び出す	▶ selection 名 選択，選抜
☐ **sense** 名 動 [séns] 感覚，感じる	She **sensed** that something was wrong.　彼女は何かが変だと**感じた**。 ▶ sensible 形 良識のある ▶ sensitive 形 敏感な
☐ **sentence** 名 [séntəns] 文	▶ passage 名 (文の)一節
☐ **separately** 副 [sépərətli] わかれて，別々に	Why don't we go to the party **separately**? **別々に**パーティーに行きませんか？ ▶ separate 形 動 別々の，分ける
☐ **serious** 形 [síəriəs] まじめな，深刻な，真剣な	▶ seriously 副 まじめに，深刻に take 〜 seriously　〜を本気にする
☐ **serve** 動 [sə́ːrv] 仕える，奉仕する	▶ service 名 奉仕，貢献 ▶ servant 名 使用人，奉仕者
☐ **set** 動 名 [sét] 置く，セット(する)，一組	変化 **set - set - set** set aside　とっておく 類 put 動 置く
☐ **several** 形 [sévərəl] いくつかの	**Several** men, **several** minds.　十人十色。 類 some 形 いくらかの
☐ **sew** 動 [sóu] 縫う	変化 **sew - sewed - sewn** sew two pieces of cloth together　2枚の布切れを縫い合わせる
☐ **shadow** 名 形 動 [ʃǽdou] 影(の)，幻，影で覆う	▶ shadowy 形 影の多い，影のような

☐ **shake** 動 名 [ʃéik] 揺れる，振る，振動，動揺	変化 **shake - shook - shaken** 類 sway 動 名 揺れる，揺れ
☐ **shape** 名 動 [ʃéip] 形(作る)，姿，体型，状態	shape up 具体化する，うまくいく
☐ **share** 名 動 [ʃέər] 分け前，分配する	類 portion 名 動 分け前，分配する 類 divide 動 分ける
☐ **sharp** 形 副 [ʃáːrp] 鋭い，鋭く，きっかりに	▶ sharpen 動 鋭くする ▶ sharply 副 急激に
☐ **shelter** 名 [ʃéltər] 避難所，隠れ場	類 protection 名 保護
☐ **shoot** 動 名 [ʃúːt] 撃つ，発射(する)，射撃(する)	変化 **shoot - shot - shot** ▶ shot 名 発射，弾丸 ▶ shooting 名 射撃，撮影
☐ **short** 形 [ʃɔ́ːrt] 短い	▶ shortly 副 まもなく，すぐに ▶ shortage 名 不足 ▶ shorten 動 短くする(なる)
☐ **shout** 動 名 [ʃáut] 叫ぶ，大声で話す，叫び	類 scream 動 悲鳴をあげる，叫ぶ
☐ **shy** 形 [ʃái] 内気な，はにかみ屋の	類 ashamed 形 恥じている
☐ **sight** 名 [sáit] 景色，光景	Out of **sight**, out of mind. 去る者は日々にうとし。 ▶ sightseeing 名 観光，見物
☐ **signal** 名 形 動 [sígnəl] 信号(の)，合図(を送る)	▶ sign 名 動 しるし，署名する，合図する ▶ signature 名 署名
☐ **silence** 名 動 [sáiləns] 沈黙，静けさ，静かにさせる	break *one's* silence 沈黙を破る ▶ silent 形 静かな，黙っている

☐ **silly** 形 [síli] ばかげた，ばかな	類 foolish 形 ばかな，愚かな
☐ **similar** 形 [símələr] 類似した，相似の	▶ similarity 名 類似(点)，相似 ▶ similarly 副 同様に
☐ **simple** 形 [símpl] 単純な，簡単な	▶ simply 副 簡単に，質素に ▶ simplify 動 単純にする
☐ **single** 名形 [síŋgl] 一個，ただ一つの	*cf.* double 形 ２倍の
☐ **sink** 動名 [síŋk] 沈む，流し	変化 **sink - sank - sunk**
☐ **site** 名 [sáit] 位置，敷地，サイト	類 position 名 位置
☐ **skill** 名 [skíl] 手腕，技術	▶ skillful 形 熟練した(＝ skilled)
☐ **skip** 動名 [skíp] 軽く跳ぶ(こと)，サボる	類 jump 名動 跳ぶ，ジャンプ 類 cut 動 サボる
☐ **slide** 動名 [sláid] 滑る(こと)	変化 **slide - slid - slid(slidden)** 類 slip 動 滑る
☐ **smart** 形 [smáːrt] 賢い，利口な，鋭い，活発な	反 stupid 形 愚かな，ばかな
☐ **smell** 動名 [smél] におい(がする)	類 stink 名 悪臭
☐ **solve** 動 [sálv] 解く	▶ solution 名 解決

☐ **sound** 名 動 [sáund] 音(をたてる)	sound waves　音波 同 sound　形 副 健全な, 健康な, ぐっすりと
☐ **space** 名 [spéis] 空間, 空所, 宇宙	space craft　宇宙船 open space　空き地 ▶ spacious　形 広々とした, 広い
☐ **spare** 動 形 名 [spέər] なしで済ます, 予備の(もの)	類 reserve　動 取っておく, 予約する
☐ **special** 形 [spéʃəl] 特別な	▶ specialize　動 専門的に研究する ▶ specialty　名 専門, 専攻 ▶ specialist　名 専門家
☐ **specific** 形 [spisífik] 特定の, 独特の, 明確な	▶ specify　動 特定する ▶ specifically　副 とくに 反 general　形 漠然とした, 全体的な
☐ **spell** 動 [spél] (語を)つづる	▶ spelling　名 つづり
☐ **spend** 動 [spénd] (金・時間など)を費やす	変化 **spend - spent - spent** ▶ spending　名 支出, 出費
☐ **spread** 動 名 [spréd] 広がる, 広げる, 広がり	変化 **spread - spread - spread** 反 narrow　動 狭くする
☐ **square** 名 形 [skwέər] 正方形(の), 広場	▶ squarely　副 正直[公平, 公正]に, きっぱりと
☐ **staff** 名 動 [stǽf] 職員(を配置する)	▶ staffer　名 職員 類 member　名 社員, 一員
☐ **stand** 動 名 [stǽnd] 我慢する, 立つ, 売店, 観客席	変化 **stand - stood - stood** stand for ～　～の味方をする ▶ standing　形 永続的な, 立っている
☐ **stare** 動 [stέər] じっと見つめる	類 gaze　動 名 じっと見つめる, 注視

☐ **state** 動 名 [stéit] 述べる，状態，国，州，地位	▶ statement 名 声明(書)
☐ **statue** 名 [stǽtʃuː] 像，彫像	Statue of Liberty　自由の女神像 類 figure 名 数字，像
☐ **steal** 動 名 [stíːl] 盗む，盗み	変化 **steal - stole - stolen** ▶ stealth 名 ひそかなやり方，内密
☐ **stick** 動 名 [stík] 突き刺す，くっつく，一刺し	変化 **stick - stuck - stuck** stick to ～　～にくっつく ▶ sticky 形 くっつく，蒸し暑い
☐ **stomach** 名 [stʌ́mək] 胃，腹	▶ stomachache 名 胃痛，腹痛
☐ **straight** 形 [stréit] まっすぐな，率直な，連続した	▶ straighten 動 ～をまっすぐにする
☐ **strength** 名 [stréŋkθ] 力，強さ	▶ strong 形 強い，丈夫な ▶ strongly 副 強く，強固に ▶ strengthen 動 強化する
☐ **stress** 名 動 [strés] 圧迫，強調(する)，ストレス	stress test　耐力試験 ▶ stressful 形 ストレスの多い
☐ **stretch** 動 名 [strétʃ] 伸ばす(こと)，伸びる，柔軟体操	stretch *one's* arms　腕を伸ばす have a good stretch　思いっきり伸びをする
☐ **strongly** 副 [strɔ́ːŋli] 激しく，強く	▶ strong 形 強い
☐ **stupid** 形 [stjúːpid] 愚かな，頭の鈍い	類 foolish 形 愚かな 反 clever 形 頭がよい，賢い
☐ **succeed** 動 [səksíːd] 成功する，継ぐ	▶ success 名 成功 ▶ successful 形 成功した ▶ successfully 副 成功して

☐ **suggest** 動 [səgdʒést] 提案する	▶ suggestion 名 提案
☐ **suitable** 形 [sú:təbl] 適している，似合う	▶ suit 動 名 似合う，スーツ
☐ **superior** 形 名 [səpíəriər] 優れた，目上の人	▶ superiority 名 優越 反 inferior 形 名 劣った，目下の者
☐ **supply** 動 名 [səplái] 供給(する)，与える	The city's water **supply** is in danger. その町の水**供給**は危機的な状態だ。 in short supply 供給が不足して
☐ **support** 動 名 [səpɔ́:rt] 支援(する)，扶養(する)	in support of ～ ～を支持して ▶ supporter 名 支持者，ファン，扶養者
☐ **surface** 名 [sə́:rfis] 表面	This road has a smooth **surface**. この道路は**表面**が滑らかだ。 on the surface 表面上は
☐ **surprise** 動 名 [sərpráiz] 驚かす，驚き	▶ surprising 形 驚くべき ▶ surprisingly 副 驚くほど
☐ **surround** 動 [səráund] 取り囲む	▶ surrounding 名 形 周囲(の)，(～s)環境
☐ **survive** 動 [sərváiv] 生き抜く，生活する	Only three passengers **survived** the accident. ３名の乗客だけがその事故で**助かった**。 ▶ survival 名 生き残ること，サバイバル
☐ **swing** 動 名 [swíŋ] 揺り動かす，振動，動揺	変化 **swing - swung - swung** 類 shake 動 名 揺れる，振る，振動，動揺
☐ **talent** 名 [tǽlənt] 才能	▶ talented 形 才能のある
☐ **taste** 動 名 [téist] 味わう，趣味	▶ tasty 形 味のよい ▶ tasteful 形 趣味のよい

☐ **tease** 動 名 [tíːz] いじめる(人), からかう	類 bully 動 ～をいじめる
☐ **tend** 動 [ténd] (～の)傾向がある	tend to *do* ～しがちだ ▶ tendency 名 傾向
☐ **terrible** 形 [térəbl] 恐ろしい, 耐え難い	▶ terribly 副 すごく, ひどく
☐ **theme** 名 [θíːm] 主題, テーマ	類 subject 名 主題, 題目
☐ **therefore** 副 [ðέərfɔ̀ːr] その結果, それゆえ	類 so 接 それで
☐ **thick** 形 [θík] 濃い, 密集した	▶ thickness 名 濃さ ▶ thicken 動 厚く[太く, 濃く]する 反 thin 形 うすい
☐ **though** 接 [ðóu] ～だけれども	類 although 接 (硬い表現) ～にもかかわらず
☐ **thought** 名 [θɔ́ːt] 思考, 考え	▶ thoughtful 形 思慮深い, 物思いに沈んだ
☐ **through** 前 [θrúː] ～を通って	▶ throughout 前 ～の間中, ～の至るところに
☐ **throw** 動 名 [θróu] 投げる(こと)	変化 **throw - threw - thrown** 類 pitch 動 投げる
☐ **tidy** 形 動 [táidi] きちんとした, 片付ける	tidy *oneself* up 身づくろいする 反 untidy 形 乱雑な, 散らかった ▶ tidiness 名 きちんとしていること
☐ **tight** 形 [táit] 堅い, 窮屈な	反 loose 形 ゆるい ▶ tighten 動 堅くする, しっかり締める ▶ tightly 副 きつく, しっかり, ぴんと

頻出単語 頻出熟語 長文単語 会話表現 重要文法

☐ **till** 前 接 [tíl] ～（する）まで	類 until 前 接 ～（する）まで
☐ **tiny** 形 [táini] ちっぽけな	反 huge 形 巨大な，莫大（ばくだい）な
☐ **totally** 副 [tóutəli] まったく，全体として	▶ total 動 名 形 合計（する），総計の
☐ **touch** 動 名 [tʌ́tʃ] 触れる（こと），接触	▶ touchable 形 触れることのできる
☐ **tough** 形 [tʌ́f] 丈夫な，不屈の，たいへんな	▶ toughen 動 ～を堅くする，～を丈夫にする
☐ **tournament** 名 [túərnəmənt] 勝ち抜き試合，トーナメント	類 match 名 試合 類 game 名 試合
☐ **toward** 前 [tɔ́ːrd] ～の方へ，～へ向けて	類 for 前 ～に向かって
☐ **track** 名 動 [trǽk] 軌道，跡（を追う），追跡する	keep track of ～ ～を見失わないようにする ▶ tracker 名 追跡者
☐ **trade** 名 動 [tréid] 取引（する），貿易，交換	▶ trader 名 貿易業者，商人 ▶ trademark 名 商標，人の特色
☐ **tradition** 名 [trədíʃən] 伝承，伝統	by tradition 伝承により ▶ traditional 形 伝統的な，伝承の ▶ traditionally 副 伝統的に
☐ **traffic** 名 [trǽfik] 交通，通行	traffic accident 交通事故 heavy traffic 激しい交通量，渋滞
☐ **train** 名 動 [tréin] 列車，訓練する	▶ training 名 訓練 ▶ trainer 名 訓練する人，トレーナー

☐ **translate** 動 [trǽnsleit] 翻訳する，訳する	▶ translation 名 翻訳 ▶ translator 名 翻訳家，通訳
☐ **transport** 動 名 [trænspɔ́ːrt | trǽnspɔːrt] 運ぶ，輸送(する)	▶ transportation 名 輸送
☐ **trap** 名 動 [trǽp] 罠(わな)(を仕掛ける)	類 trick 名 動 計略，たくらみ，～をだます
☐ **treat** 動 名 [tríːt] 扱う，治療する，もてなし	▶ treatment 名 治療 ▶ treaty 名 条約
☐ **trouble** 動 名 [trʌ́bl] 悩ます，苦労，心配(事)	▶ troublesome 形 やっかいな，面倒な
☐ **trust** 名 動 [trʌ́st] 信頼(する)	▶ trustworthy 形 信用できる 類 rely 動 信頼する
☐ **truth** 名 [trúːθ] 真実，事実	What is the **truth** about the matter? その事件の**真相**は何だろう？ ▶ truly 副 本当に，心から
☐ **turn** 動 名 [tə́ːrn] 回す，順番	熟 in turn 交替で by turns 代わる代わる ▶ turning 名 曲がり目
☐ **twice** 名 [twáis] ２度	twice a week 週に２度 類 two times ２度
☐ **twist** 動 名 [twíst] ねじる，ひねり	類 wrench 動 名 ねじる，レンチ
☐ **type** 名 [táip] 型，タイプ，典型	▶ typical 形 典型的な
☐ **unfriendly** 形 [ʌ̀nfréndli] 友好的でない	反 friendly 形 友好的な

☐ **unite** 動 [juːnáit] 一体になる	▶ united 形 結合[連合・一致]した United Nations 国際連合(UN) ▶ unity 名 単一, 一致
☐ **unknown** 形 [ʌ̀nnóun] 知られていない, 未知の	反 common 形 共通の, ありふれた
☐ **unlike** 前 形 [ʌ̀nláik] 〜と異なった, 違った	▶ unlikely 形 ありそうもない
☐ **unusual** 形 [ʌnjúːʒuəl] 異常な, 珍しい	▶ unusually 副 異常に 反 usual 形 通常の
☐ **value** 名 動 [vǽljuː] 価値, 価格, 評価する, 重んじる	He **valued** his family above work. 彼は仕事よりも家族を**大切にした**。 ▶ valuable 形 高価な, 貴重な
☐ **vary** 動 [vέəri] 変わる	▶ various 形 さまざまな ▶ variety 名 変化, 多様(性), バラエティー ▶ variation 名 変化, 変動
☐ **vase** 名 [véis] 花瓶, つぼ	類 pot 名 つぼ
☐ **violent** 形 [váiələnt] 激しい, 猛烈な	▶ violence 名 激しさ, 猛烈さ, 暴力 ▶ violently 副 激しく
☐ **visible** 形 [vízəbl] 目に見える, 明白な	反 invisible 形 目に見えない ▶ visibility 名 目に見えること, 視界
☐ **wake** 動 [wéik] 目を覚ます	変化 **wake - woke - woken(waked)** ▶ awake 形 目が覚めて, 眠らずに
☐ **warn** 動 [wɔ́ːrn] 警告する	▶ warning 名 警告
☐ **waste** 動 名 [wéist] 浪費(する)	waste of time 時間の無駄 ▶ wasteful 形 無駄づかいの多い, 不経済な

☐ **weigh** 動 [wéi] 重量を量る	▶ weight 名 重量，重さ gain(put on) weight 体重が増える
☐ **whenever** 接 [hwènévər] いつ～しようとも	when（いつ）＋ ever（たとえ～でも） → whenever
☐ **wherever** 接 [hwεərévər] どこに[で] ～しようとも	where（どこ）＋ ever（たとえ～でも） → wherever
☐ **whether** 接 [hwéðər] ～かどうか	類 if 接 ～かどうか
☐ **while** 名 接 [hwáil] （少しの）時間，～している間	for a while しばらくの間 類 during 前 ～の間に
☐ **whisper** 動 名 [hwíspər] ささやく，ささやき（声）	in a whisper 小声で
☐ **win** 動 [wín] 勝つ，成功する	変化 **win - won - won** ▶ winner 名 勝利者，受賞者
☐ **wish** 動 名 [wíʃ] 祈る，望む，祈り，願い	▶ wishful 形 望んでいる wishful thinking 希望的観測 類 pray 動 祈る
☐ **wonder** 動 名 [wʌ́ndər] 不思議に思う，驚異	I wonder ... …かしら in wonder 驚いて ▶ wonderful 形 すばらしい
☐ **worry** 動 名 [wə́:ri] 心配する，悩む，心配	▶ worried 形 心配そうな 類 concern 動 ～を心配させる
☐ **yet** 副 接 [jét] まだ，もう，けれども	（否定文）not ～ yet まだ～ない （疑問文）～ yet? もう～？

頻出熟語 89

☐ **according to ～** ～によると	**According to** weather report this morning, it is going to rain this evening. 今朝の天気予報**によると**，今晩は雨が降りますよ。
☐ **after all** 結局，結果として	Eiji says he wants to be a teacher. He is, **after all**, your son. エイジは先生になりたいと言っている。彼は，**結局**，きみの息子なんだよ。
☐ **all at once** 不意に，突然	When I heard the song on the radio, I felt like seeing Eriko **all at once**. その曲をラジオで聞いたとき，私は**不意に**エリコに会いたくなった。
☐ **all the time** ずっと，いつでも	I think about you **all the time.** **ずっと**あなたのことを思っています。
☐ **apply for ～** ～に申し込む，応募する	Everyone can **apply for** this position. だれでもこの仕事**に応募**できます。
☐ **as if [though] ～** あたかも～のように	The reason I dislike Mike is that he talks **as if** he knew everything. 私がマイクを好きではないのは，彼が**あたかも**何でも知って**いるように**話すからだ。
☐ **aside from ～** ～は別にして	**Aside from** her, there is no one that knows his secret. 彼女**は別として**，彼の秘密を知っている人は誰もいない。
☐ **at risk** 危険にさらされている	Mary is **at risk** for some health problems because she eats too much. メアリーは食べすぎるので，いくつかの健康上の問題で**危険にさらされている**。

☐ **be about to *do*** 今にも～するところだ	My daughter **was about to** leave for school when you called me this morning. きみが今朝電話をしてきたとき，私の娘が学校に**今にも**出発**するところだ**った。
☐ **be at a loss** 途方にくれる	Ted seems to **be at a loss**. Why don’ you give him some advice? テッドは**途方にくれて**いるようだ。助言をしてあげたらどうだい？
☐ **be aware of ～** ～に気づいている，～を知っている	They **weren’t aware of** the truck coming toward them from behind. 彼らはトラックが背後から走ってくるの**に気づいていなかった**。
☐ **be certain of ～** ～を確信している	**I’m certain of** passing the exam. 私はその試験に合格する**と確信している**。
☐ **be crowded with ～** ～でいっぱいである	The elevator **was crowded with** children, so I walked up to the fifth floor. エレベーターは子どもたち**でいっぱいだった**ので，私は５階まで歩いていった。
☐ **be disappointed with [at] ～** ～にがっかりする	Don’t **be** so **disappointed with** your result. I know you did your best. 結果にそんな**にがっかりし**ないで。きみが全力をつくしたことは知ってるよ。
☐ **be forced to *do*** ～することを強いられる	I **was forced to** stay at home during the heavy rain. 大雨の間，私は家にとどまる**ことを強いられた**。
☐ **be in charge of ～** ～の担当(係)である	I would like to talk with a person **in charge of** customer service. カスタマー・サービス**の担当の**方と話したいのですが。
☐ **be in trouble** 困っている	My grandfather gave a hand to whoever **was in trouble**. 祖父は**困っている**人であればだれにでも手を貸した。

☐ **be likely to *do*** ～しそうだ	Many more visitors than expected **are likely to** come tonight. 予想されたよりもずっと多くの訪問客が今晩やってき**そうだ**。
☐ **be looking forward to *doing*** ～するのを楽しみにしている	We **are** all **looking forward to** seeing you next month. 私たちは皆，来月あなたに会える**のを楽しみにしています**。
☐ **be ready for ～** ～の準備ができている	Make sure that you **are ready for** tomorrow's excursion. 明日の遠足**の準備ができている**ことを確認しなさい。
☐ **be responsible for ～** ～の責任がある	You will **be responsible for** whatever result may come out. どのような結果であろうとも，あなたには**責任があります**よ。
☐ **be said to be ～** ～と言われている	Mr. Ichikawa **is said to** have been an actor when young. イチカワさんは若いころは役者をしていた**と言われている**。
☐ **be short of ～** ～が不足している	Don't you think that our club has **been short of** money recently? 私たちのクラブは近ごろ資金**が不足している**とは思いませんか？
☐ **be supposed to *do*** ～するとされている	All new employees **are supposed to** attend the guidance. すべての新入社員はガイダンスに参加すること**とされている**。
☐ **be sure of [about] ～** ～を確信している	We **are sure of** his success in his presentation. 我々は彼が発表で成功すること**を確信している**。
☐ **be used to *doing*** ～することに慣れている	Eric, **are** you **used to** speaking in public? エリック，きみは人前で話**すことに慣れている**の？

☐ **be worth *doing*** ～する価値がある	Mt. Fuji **is** really **worth** visiting and viewing nearby. 富士山は本当に訪れて近くで見る**価値があります**よ。
☐ **because of ～** ～のせいで，～のおかげで	Ally was ten minutes late for class **because of** the heavy traffic. アリーは交通渋滞**のせいで**授業に 10 分遅刻した。
☐ **bring about ～** ～をもたらす，引き起こす	The Internet has **brought about** many changes in our lives. インターネットは私たちの生活に大きな変化**をもたらした**。
☐ **bring up ～** ～を育てる，提案する	It is very hard for single mothers to **bring up** children. 母子家庭の母親が子ども**を育てる**のはとても大変です。
☐ **by accident [chance]** 偶然に	I found the book my mother had been looking for **by accident**. 私は母親が探していた本を**偶然に**見つけた。
☐ **can't help *doing*** ～せずにはいられない	Ikue **can't help** saying something when she disagrees. イクエは同意できないときは何かを言わ**ずにはいられない**。
☐ **catch up with ～** ～に追いつく	You go ahead. I will **catch up with** you at the concert hall. 先に行って。コンサート会場であなた**に追いつく**から。
☐ **come across ～** ～に偶然出会う	My heart almost stopped when I **came across** my ex-girlfriend. かつての恋人**に偶然出会った**とき，ぼくの心臓は止まりそうになった。
☐ **compare *A* with *B*** A と B を比べる	If you **compare** your report **with** mine, you can see the difference. きみのレポート**と**私のもの**とを比べて**みれば，違いが分かりますよ。

☑ **enough to *do*** ～するのに十分な	Are five chairs **enough to** welcome our guests tonight? 5脚の椅子で今晩の招待客を歓迎**するのに十分**ですか？
☑ **exchange *A* for *B*** AをBと交換する	In old times, hunters **exchanged** fur **for** crops. 大昔，狩猟者は毛皮**と**穀物**を交換していた**。
☑ **fall asleep** 寝つく	Kerry was so tired that he **fell asleep** during the class. ケリーはとても疲れていたので授業中**寝てしまった**。
☑ **figure out ～** ～を計算[了解]する	Let me **figure out** how much it will cost if we rent a car for three days. もし3日間車を借りたらいくらになるのか**を計算させ**てください。
☑ **find out ～** ～を発見する，見破る	The first thing we have to do is to **find out** what brought about this. 最初にやらなければならないことはこれを引き起こした原因**を発見する**ことです。
☑ **get along with ～** ～と親しくする	You'll be surprised to know how easy Paul is to **get along with**. ポールがどれほど**親しみ**やすいかを知ったら驚きますよ。
☑ **get rid of ～** ～を取り除く	A bad habit is easy to develop, but hard to **get rid of**. 悪癖は簡単に身につくが，**取り除く**のは困難だ。
☑ **go through ～** ～を経験する，使い果たす	I know your feelings. I also have **gone through** this thing. きみの気持ちは分かりますよ。私もこのようなこと**を経験している**のです。
☑ **happen to *do*** たまたま～する	We **happened to** find a place to have lunch in on our way to the park. 私たちは公園に向かう途中で昼食を食べる場所を**たまたま**見つけた。

☐ **have nothing to do with 〜** 〜とまったく関係がない	You can't say that you **have nothing to do with** this failure. あなたはこの失敗**とはまったく関係がない**とは言えませんよ。
☐ **in addition to 〜** 〜に加えて	**In addition to** being smart, Sawako is quite humorous. 賢いの**に加えて**，サワコはとてもユーモアがある。
☐ **in order to *do*** 〜するために	Bus tour guide was using a microphone **in order to** make her voice heard. バスガイドは彼女の声が聞こえる**ように**マイクを使っていた。
☐ **instead of 〜** 〜の代わりに	We would like you to come to our office **instead of** Mr. Oka. 我々はオカさん**の代わりに**あなたに事務所に来てもらいたいのです。
☐ **in time** 間に合って	I was glad that you were **in time** for the reception party. あなたが披露宴に**間に合って**本当にうれしかったです。
☐ **in turn** 順番に	Please get in a line, and you will be served **in turn**. 列に並んでください，そうすれば**順番に**注文を承ります。
☐ **It is no use *doing*** 〜しても無駄だ	**It is no use** regretting what happened, no matter how regretful you are. どれほど後悔しようとも，起きてしまったことを嘆い**ても無駄だ**。
☐ **It is not until 〜 that ...** 〜になって初めて…	**It is not until** we lose something **that** we realize how much it means to us. 何かを失っ**て初めて**，我々はそれがどれだけ意味があるのかが分かる。
☐ **keep [bear] 〜 in mind** 〜を心に留める	**Keep in mind** that I will come for help wherever you go. きみがどこに行こうとも，私は助けに行くということ**を心に留めて**おいてください。

☑ **keep up with ～** ～に遅れないでいる，～を維持する	It takes some patience and effort to **keep up with** good shape. よい体調**を維持する**ためには忍耐と努力が必要です。
☑ **leave ～ alone** ～を放っておく	Why don't you **leave** him **alone**? He seems to have been hurt. 彼**を放っておい**たらどうですか？彼は傷ついているようですよ。
☑ **look down on [upon] ～** ～を見下す	It is morally bad to **look down on** someone because of his or her age. 年齢を理由にだれか**を見下す**のは道徳的に悪いことだ。
☑ **make fun of ～** ～をからかう	Stop it! You are always **making fun of** your friends. やめなさい！　きみはいつも友達**をからかって**ばかりいるね。
☑ **make up for ～** ～を償う，埋め合わせをする	Sorry about my absence last night. Let me **make up for** it. 昨晩は欠席してごめんなさい。その**埋め合わせを**させてください。
☑ **make up *one's* mind** 決める，決断する	Alex **made up his mind** to attend the meeting alone. アレックスは一人でその会議に参加することを**決めた**。
☑ **neither *A* nor *B*** A も B もどちらも～ない	**Neither** toys **nor** comics attracted my attention at that time. おもちゃ**も**漫画**もどちらも**そのときは私の関心を引くことは**なかった**。
☑ **no longer ～** もはや～ない	We have decided that we can **no longer** work with you. 我々はあなた方とは**もはや**いっしょには仕事ができ**ない**という決断をした。
☑ **not only *A* but (also) *B*** A だけでなく B も～	**Not only** you **but also** I am happy about your son's promotion. あなた**だけではなく**私**も**あなたの息子さんの昇進については嬉しいんですよ。

☐ **not so much *A* as *B*** A というよりむしろ B	Judge someone **not so much** by his words **as** by his deed. 言葉**よりもむしろ**その人の行動によって人を判断しなさい。
☐ **on the other hand** 一方で	He studies hard at school. **On the other hand**, he helps his family business after school.　彼は学校で一生懸命学んでいる。**一方で**，放課後は家業の手伝いをしている。
☐ **on purpose** 故意に，わざと	She didn't do it **on purpose**. 彼女は**わざと**そうしたのではなかった。
☐ **pay attention to ～** ～に注意を払う	**Pay attention to** children when you let them play outside. 外で遊ばせるときは，子ども**に注意を払い**なさい。
☐ **prefer *A* to *B*** B よりも A が好き	I really **prefer** Japanese food **to** Italian food. 私は本当にイタリア料理**よりも**日本料理**の方が好き**だ。
☐ **prevent [keep] *A* from *doing*** A が～するのを妨げる	In water, clothes you are wearing **prevent** you **from** moving your body parts freely. 水中では，着ている服が体を自由に動かす**のを妨げる**。
☐ **provide *A* with *B*** A に B を供給する	The machine is used to **provide** aircraft **with** gas. その機械は飛行機**に**ガソリン**を供給する**のに用いられる。
☐ **put off ～** ～を延期する	Once you **put off** what must be done at the moment, the habit sticks to you. 一度そのときにやるべきこと**を延期して**しまうと，その癖はついてまわるよ。
☐ **put up with ～** ～を我慢する	Who can **put up with** such a sick attitude of his? 彼のそんなひどい振る舞い**を**だれが**我慢できる**だろうか？

☐ **regard *A* as *B*** AをBとみなす	Winners **regard** one loss they experience **as** one precious lesson they need. 勝者というのは経験した敗北**を**貴重かつ必要な教訓だ**とみなす**ものだ。
☐ **remind *A* of *B*** AにBを思い出させる	Do you have something that **reminds** you **of** your childhood? あなたは子どものころ**を思い出させる**何かを持っていますか？
☐ **so that *A* can [may/will] *do*** Aが〜できるように	Leave the door half open **so that** our cats **can** come in. 私たちの猫が入って来ら**れるように**ドアを半開きにしておいてください。
☐ **succeed in *doing*** 〜することに成功する	Peter has already **succeeded in** writing some novels. ピーターは既にいくつかの小説を書く**ことで成功している**。
☐ **suffer from 〜** 〜に苦しむ	Jack often **suffers from** headaches. ジャックはしばしば頭痛**に苦しんでいる**。
☐ **take 〜 into account** 〜を考慮する	We must **take** our children **into account** when we eat at a restaurant. 私たちはレストランで食事をするときには，子どもたちのこと**を考慮し**なければならない。
☐ **take advantage of 〜** 〜を利用する	To polish your English, **take advantage of** every opportunity you can get. 英語力をみがくためには，手に入るすべての機会**を利用し**なさい。
☐ **take place** 行われる，起こる	The examination will **take place** next month. その試験は来月**行われる**。
☐ **take the place of 〜** 〜の代わりをする	No one but you can **take the place of** the section manager until he comes back. 課長が戻ってくるまで彼**の代わりをすること**ができるのはきみ以外にいない。

☐ **tell *A* from *B*** AとBを見分ける	Only good specialists can **tell** a real thing **from** a copy. 優れた専門家だけが本物**と**複製**を見分ける**ことができる。
☐ **think of *A* as *B*** AをBと考える	How about **thinking of** this difficulty **as** the chance for you to go ahead? この困難**を**きみが前に進むための好機**と考えて**みてはどうだろう？
☐ **to begin with** まず第一に	**To begin with**, you need to provide some evidence. **まず第一に**，あなたは証拠を提出しなければならない。
☐ **too ～ to *do*** …するにはあまりにも～	The place was **too** small and dirty **to** live. その場所は住む**にはあまりにも**小さくそして汚かった。
☐ **turn out to be ～** ～であると分かる	The man I spoke to **turned out to be** a stranger. 私が話しかけた男性は，よそから来た人**であると分かった**。
☐ **used to *do*** よく～したものだ	My father **used to** take me to the river when I was a junior high school student. 父は私が中学生のころ，**よく**川に連れて行ってくれ**たものだ**。
☐ **watch out for ～** ～に気をつける	You have to **watch out for** heavy snow during this season. この季節は大雪**に気をつけ**なければならない。
☐ **whether ～ or not** ～しようとしまいと，～かどうか	You must attend the conference **whether** you like it **or** not. **望もうと**望む**まいと**，あなたはその会議に参加しなければならない。
☐ **would like *A* to *do*** Aに～してもらいたい	I **would like** my host family **to** be surprised and happy at my present. 私のプレゼントでホストファミリー**に**驚いて，そして喜ん**でもらいたい**。

長文頻出単語 80

Eメール

☐ **access** 名 動	[ǽkses]	接近，参加(する)
☐ **amateur** 名 形	[ǽmətʃùər]	素人(の)
☐ **baggage** 名	[bǽgidʒ]	手荷物
☐ **capital** 形 名	[kǽpətl]	主要な，首都(の)，大文字
☐ **conversation** 名	[kɑ̀nvərséiʃən]	会話
☐ **copy** 名 動	[kɑ́pi]	コピー（する)，(本の)一部
☐ **corner** 名 動	[kɔ́ːrnər]	角，隅，追い込む
☐ **couple** 名	[kʌ́pl]	カップル，夫婦，一対
☐ **department** 名	[dipɑ́ːrtmənt]	局，省，部門
☐ **flight** 名	[fláit]	飛行，フライト，航空便
☐ **grandparent** 名	[grǽndpɛ̀ərənt]	祖父，祖母
☐ **guard** 名 動	[gɑ́ːrd]	見張り，守る，用心する
☐ **mall** 名	[mɔ́ːl]	散歩道，モール，商店街
☐ **million** 名	[míljən]	１００万
☐ **partner** 名	[pɑ́ːrtnər]	配偶者，パートナー
☐ **percent** 名	[pərsént]	パーセント
☐ **private** 形	[práivət]	私的な，私用の，私立の
☐ **reunion** 名	[rìːjúːnjən]	再結合，再開
☐ **sale** 名	[séil]	販売，特売(▶ sales 名 売上高)

☐ **symbol** 名	[símbəl]	象徴，記号
☐ **teammate** 名	[tíːmmèit]	チームの一員
☐ **term** 名	[tə́ːrm]	期間，用語，学期
☐ **topic** 名	[tápik]	話題，テーマ
☐ **voyage** 名	[vɔ́iidʒ]	船旅，航海

自然・科学

☐ **Arctic** 形	[ɑ́ːrktik]	北極の，極寒の
☐ **brain** 名	[bréin]	脳，頭脳，企画者
☐ **butterfly** 名	[bʌ́tərflài]	蝶(ちょう)
☐ **cattle** 名	[kǽtl]	牛
☐ **cycle** 動 名	[sáikl]	循環(する)，サイクル，周期
☐ **disease** 名	[dizíːz]	病気
☐ **earthquake** 名	[ə́ːrθkwèik]	地震
☐ **globe** 名	[glóub]	地球(儀)
☐ **pigeon** 名	[pídʒən]	ハト
☐ **plastic** 名 形	[plǽstik]	プラスチック(の)
☐ **puppy** 名	[pʌ́pi]	子犬(*cf.* kitten 名 子猫)
☐ **skin** 名	[skín]	皮膚，皮，肌
☐ **smoke** 名 動	[smóuk]	煙，喫煙，(たばこを)吸う
☐ **soil** 名	[sɔ́il]	土壌，土
☐ **spider** 名	[spáidər]	クモ
☐ **sunlight** 名	[sʌ́nlàit]	日光

☐ **sunrise** 名	[sʌ́nràiz]	日の出
☐ **temperature** 名	[témpərətʃər]	気温，体温
☐ **wild** 形	[wáild]	野生の，野蛮な

生活・社会

☐ **allergy** 名	[ǽlərdʒi]	アレルギー
☐ **apartment** 名	[əpɑ́ːrtmənt]	アパート
☐ **athlete** 名	[ǽθliːt]	運動選手
☐ **backyard** 名	[bækjɑ́ːrd]	裏庭，縄張り
☐ **block** 名 動	[blɑ́k]	塊，一区画，ふさぐ
☐ **brush** 名 動	[brʌ́ʃ]	ブラシ，はけ，磨く
☐ **carpenter** 名	[kɑ́ːrpəntər]	大工
☐ **code** 名	[kóud]	基準，法典
☐ **countryside** 名	[kʌ́ntrisàid]	田舎
☐ **full-time** 形 副	[fúltáim]	常勤の[で]，正社員の
☐ **ground** 名	[gráund]	地面，土地，グラウンド
☐ **harmony** 名	[hɑ́ːrməni]	一致，調和
☐ **husband** 名	[hʌ́zbənd]	夫(*cf.* wife 名 妻)
☐ **mayor** 名	[méiər]	市長
☐ **outdoor** 形	[áutdɔ̀ːr]	戸外の，外出用の
☐ **pillow** 名	[pílou]	枕
☐ **privacy** 名	[práivəsi]	私生活，プライバシー，秘密
☐ **rug** 名	[rʌ́g]	じゅうたん

☐ **spicy** 形	[spáisi]	香料を入れた，ピリッとした
☐ **spray** 名 動	[spréi]	スプレー，浴びせる
☐ **stereo** 名 形	[stériòu]	ステレオ(の)，立体音響
☐ **toothache** 名	[tú:θèik]	歯痛
☐ **traffic** 名	[trǽfik]	交通，貿易
☐ **vehicle** 名	[ví:ikl]	車，乗り物
☐ **wallet** 名	[wálit]	札入れ，財布

歴史・文化

☐ **colored** 名 形	[kʌ́lərd]	有色人種(の)，色付き(の)
☐ **film** 名 動	[fílm]	フィルム，映画，撮影する
☐ **historic** 形	[histɔ́:rik]	歴史上有名な
☐ **international** 形	[ìntərnǽʃənl]	国際的な
☐ **nation** 名	[néiʃən]	国家，国民
☐ **poem** 名	[póuəm]	詩
☐ **puppet** 名	[pʌ́pit]	操り人形，手先
☐ **root** 名 動	[rú:t]	根本，根(を下ろす)，祖先
☐ **science-fiction** 名	[sáiəns-fíkʃən]	ＳＦ，空想科学小説
☐ **soldier** 名	[sóuldʒər]	陸軍(軍人)
☐ **spirit** 名	[spírit]	精神，霊
☐ **victory** 名	[víktəri]	勝利，優勝

頻出会話表現 11

☐ **By all means.** もちろん。	A: Can I use your bike? Mine is under repair. B: **By all means.** A：きみの自転車を使ってもいい？　ぼくのは修理中なんだ。 B：**もちろん。**
☐ **Could[Can] you tell me where ～?** どこで～か教えていただけますか？	A: **Could you tell me where** I can buy a ticket**?** B: Sure. Come this way, please. A：**どこで**切符を買えるの**か教えていただけますか？** B：いいですよ。こちらへ来てください。
☐ **Have you ever been to ～?** ～へ行ったことがありますか？	A: Alice, **Have you ever been to** China**?** B: No, I've never been to Asia. A：アリス，中国**へ行ったことはある？** B：いいえ，アジアへ行ったことは一度もないの。
☐ **How come ～?** なぜ～ですか？	A: **How come** you were late, Jack**?** B: I helped a sick girl on my way to school. A：**どうして**遅れたんだい，ジャック**？** B：病気の女の子を通学途中に助けたんです。
☐ **I'm afraid ～** ～だと思います。	A: Tom and I are going to play tennis tomorrow. B: **I'm afraid** you can't. Tomorrow will be rainy all day. A：明日，トムとテニスをする予定なんだ。 B：無理**だと思うよ。**明日は一日中雨だから。

☐ **I'm sorry to hear that.**

それはお気の毒に。

A: Amy broke her leg in a basketball game. She is in a hospital now.
B: **I'm sorry to hear that.**
A：エイミーはバスケットボールの試合で脚を骨折したの。今入院しているわ。
B：**それは気の毒に。**

☐ **May I ask you a favor?**

お願いがあるのですが。

A: Mr. Sasaki, **may I ask you a favor?**
B: Sure, come in. What is it, Billy?
A：ササキさん，**お願いがあるのですが。**
B：いいですよ，入ってください。何ですか，ビリー？

☐ **Please help yourself to ～**

どうぞご自由に～をお取りください。

A: **Please help yourself to** cookies. My daughter baked them.
B: Really? Great! They look delicious.
A：**どうぞ**クッキー**をご自由に召し上がって。**娘が焼いたのよ。
B：本当？　すごい！　おいしそうだね。

☐ **That(It) depends.**

時と場合によります。

A: What time do you leave your office?
B: **That depends**, but usually around seven o'clock.
A：あなたは何時に会社を出るの？
B：**時と場合によるけど**，ふだんは７時ごろに出るよ。

☐ **What do you say to *doing* ～?**

～するのはいかがですか？

A: **What do you say to** going shopping on this weekend**?**
B: Sounds good. I want a new shirt.
A：今週末買い物に行くの**はどう？**
B：いいね。新しいシャツが欲しいんだ。

☐ **When it comes to ～**

～について言えば

A: **When it comes to** singing, Emma is the best.
B: I didn't know that. I've never listened to her singing.
A：歌うこと**について言えば**，エマが一番だね。
B：それは知らなかったよ。彼女が歌うのを聞いたことがないんだ。

重要文法❶ 助動詞

Point! 3級までの助動詞のまとめ

○助動詞の性質「次にくる動詞は必ず原形になる」
○ **can** 「～することができる（= be able to）」
○ **will** 「～でしょう，だろう，するつもりだ（= be going to）」
○ **would（will の過去形）** 「～したものだ」（過去の習慣）
○ **shall** Shall we ～？で「～しませんか？」
○ **should（shall の過去形）** 「～すべきだ」（義務・当然）
○ **must** 「～しなければならない（= have to），～に違いない」
○ **may** 「～してもよい，～かもしれない」
○ **ought to ～** 「～するべきだ，するのが当然だ」
○ **used to ～**「～したものだ」

1 would と should のその他の用法

（1）would

①過去の強い意志「どうしても～しようとした」

例 **John would go to Tokyo.** 訳 ジョンはどうしても東京に行こうとした。

②丁寧な表現。Would you ～？「～してくれませんか？」

（2）should

①当然・推量「当然～するはずだ」

例 **Ken should be at hospital now.** 訳 ケンは今，当然病院にいるはずだ。

2 〈助動詞＋ have ＋過去分詞〉「過去の出来事に助動詞の意味を加える」

○〈may have ＋過去分詞〉「～したかもしれない」
○〈must have ＋過去分詞〉「～したに違いない」
○〈cannot have ＋過去分詞〉「～したはずがない」
○〈should have ＋過去分詞〉「～すべきだった(のにしなかった)」

重要文法❷ 分詞構文

Point! 分詞構文とは？

分詞(現在分詞と過去分詞)が，接続詞と動詞の働きをして
２つの節を結び付け，１つの文を作ること！

1 分詞構文の作り方

①接続詞を省く→ ②２つの節の主語が同じ場合は省略する → ③動詞を現在分詞(*do*ing)にする

例 **Since I finished my work, I went out for a walk.**

➡ **Finishing my work, I went out for a walk.**

訳 仕事を終えたので，散歩に出かけた。

2 分詞構文の３つの意味

①原因・理由(～なので)

例 **Being tired, I went to bed at eight.** 訳 疲れたので，私は8時に寝た。

②時(～するとき)

③付帯状況(～しながら)

3 否定の分詞構文は「分詞の前に not」

例 **Not knowing what to say, I just stood still and looked at her face.**

訳 何を言っていいか分からず，ぼくはただ立ち尽くし彼女の顔を見つめた。

4 受身形の分詞構文「being ＋過去分詞」

Since the book was written in French, it wasn't easy for me to read.

➡ **(Being) Written in French, the book wasn't easy for me to read.**

訳 フランス語で書かれていたので，ぼくにはその本を読むのは簡単でなかった。

重要文法❸ 仮定法

仮定法とは？

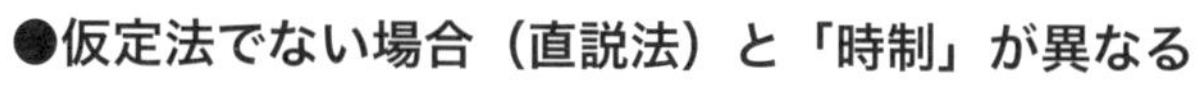

「もし～ならば」という仮定の内容の際に使われる表現！

●仮定法でない場合（直説法）と「時制」が異なる

●①「仮定法現在」
②「仮定法過去」
③「仮定法過去完了」 の３つに分類される

1 仮定法現在

「仮定法現在」は「現在および未来の，可能性がある場合」に使います。

例 **If I meet my mother at the station, I will go home with her.**

訳 **もし駅でお母さんと会ったら，いっしょに帰ろう。**

この例では，私がお母さんと会えるかどうかは分かりませんが，可能性はあるので，仮定法現在を使います。同様に，

例 **If it rains this afternoon, I will stay at home.**

訳 **もし午後雨が降ったら，家にいよう。**

これも，「午後に雨が降る」可能性はあるので「仮定法現在」を利用します。
仮定法現在の場合，if 節は現在形(if it rains this afternoon, ...)となります。

2 仮定法過去

仮定法過去では「現在のありえない話」が述べられます。「ありえない話」ですから，仮定法現在と違って可能性は０％です。

例 **If I were you, I would marry her.**

訳 **もしぼくがきみだったら，彼女と結婚するのに。**

仮定法過去の場合，①I や he など，本来 be 動詞は was を使う主語でも，were を使う　②「～だっただろう」という結論の部分には助動詞 would (could・should)を使う　といった決まりがあることも覚えておきましょう。

3 仮定法過去完了

仮定法過去完了では「過去のありえない話」が述べられます。

形は〈If ＋名詞＋ had ＋過去分詞 , 名詞＋ would (could・should)＋ have ＋過去分詞〉となります。

過去の「もし…だったら」ですから，すべての話が可能性は０％です。

例 **If I had met my mother at the station, I would have gone home with her.**

訳 お母さんと駅で会っていたら，いっしょに家に帰ったのに。

上の例は「駅で会わなかったので，いっしょには帰らなかった」ということになります。

4 そのほかの重要な表現

○ I wish ＋主語＋過去形…「〜だったらいいのに」（願望）

例 **I wish I were a bird.** 訳 自分が鳥だったらなあ。

○ I wish ＋主語＋ had ＋過去分詞…「（あのとき）〜だったらよかったのに」

過去の事実と異なる願望を述べる場合に使います。

例 **I wish I had met you last year.** 訳 去年きみと出会っていればなあ。

○ if only ＋仮定法「〜だったらいいのに」（＝ I wish）

例 **If only（=I wish）Yusaku were alive.**

訳 もしユウサクが生きていてくれたらなあ。

○ as if[though] ＋仮定法過去「あたかも〜のように」（現在）

例 **He speaks as if he were a child.** 訳 彼はあたかも子どものように話す。

○ as if[though] ＋仮定法過去完了「あたかも〜だったかのように」（過去）

例 **He speaks as if he had been the President.**

訳 彼はあたかも大統領であったかのように話をする。

○ as it were「いわば，いわゆる」（熟語）

例 **Takuhiro is, as it were, a walking dictionary.**

訳 タクヒロはいわば，歩く辞書だ。

重要文法④ 不定詞

Point!

３級までの不定詞のまとめ

(1)「to ＋動詞の原形」

例 I like to play tennis. 訳 私はテニスをするのが好きです。

(2)不定詞の用法は大きく分けて３つ！

①副詞的用法（～するために）

②名詞的用法（～すること）

③形容詞的用法（～するための）

(3)「to ＋不定詞（名詞的用法）」が長い主語になる場合，主語を it（仮主語）で置き換えられる

例 It is important for us to study hard.

訳 私たちにとって一生懸命勉強することは大切だ。

1 結果を表す不定詞の用法

不定詞の副詞的用法には「～するために」のほか，「…して(その結果) ～になる」という「結果」を表す用法があります。

例 **Eita grew up to be a teacher.**

訳 エイタは成長して教師になった。

例 **Takuya woke up to find himself lying on a bench in a park.**

訳 タクヤは目が覚めると，自分が公園のベンチで横たわっているのが分かった。

2 仮主語で，形容詞が人の性質を表す場合

例 **It was kind of her to tell me the truth.**

訳 本当のことを教えてくれるなんて，彼女は親切だ。

Point (3) 「主語が長いため it (仮主語)を使う場合」ですが，上の例のように，形容詞が「人の性質」を表す場合(kind・wise・clever・careful・stupid など)，意味上の主語(例では her)の前の前置詞は for ではなく of を使用します。

3 原形不定詞

toのつかない不定詞。原形不定詞は動詞の種類で大きく2つに分けられます。

①知覚動詞(see・watch・hear・feelなど)

例 **I saw her come across the street.** 訳 私は彼女が通りを横切るのを見た。

②使役動詞(make・let・have)(人に「〜させる」)

(1) make「(無理やり)〜させる」

例 **My mother made me go to bed, since it was 10 p.m.**

訳 10時だったので，母は私を寝させた。

(2) let「(望みどおり)〜させる」

例 **My father let me play tennis.** 訳 父は私にテニスをすることを許した。

(3) have「(お願いして)〜させる」

4 help(+人)+(to) *do*

helpはto不定詞の形をとりますが「原形不定詞」の形もとれます。

例 **She helped me (to) finish my job.**

訳 彼女は私が仕事を終えるのを手伝った。

5 be動詞+to不定詞(5種類)

①予定

例 **I am to visit his house tomorrow.** 訳 私は明日，彼の家を訪問する予定です。

②義務

例 **You are to start your job right now.**

訳 あなたは今すぐ仕事を始めるべきだ。

③運命

例 **They were never to meet again.** 訳 彼らは二度と会うことはなかった。

④意思(主にif節で使われます)

例 **If you are to pass the exam, you must study hard.**

訳 もしきみがその試験に合格するつもりなら，一所懸命勉強しなければならない。

⑤可能

例 **The job wasn't to be finished in three days.**

訳 その仕事は3日以内で終わらなかった。

重要文法❺ 比較

Point! **3級までの比較のまとめ**

○比較級…「形容詞・副詞の比較級＋ than ～」

○最上級…「the ＋形容詞の最上級」

○さまざまな表現

① as ＋原級＋ as ～「～と同じくらい…」

例 **Kenta is as tall as I.** 訳 ケンタはぼくと同じくらいに背が高い。

②形容詞の比較級＋ than any other ～「他のどの～よりも…」

例 **Yuki is more beautiful than any other students in her class.**

訳 ユキはクラスのどの生徒よりも美しい。

1 原級

(1) 倍数の表現

〈as ＋原級＋ as ～〉「～と同じくらい…だ」の前に twice（２倍），half（半分），three times（３倍）などを入れると，倍数で表せる。

(2) 原級を含む表現

① as ～ as possible (= as ～ as one can)「できるだけ～」

② not so much A as B「A というよりむしろ B」（＝ B rather than A）

③〈No (other) A ... ＋比較級＋ than B〉「(他の) どんな A も B ほど…ではない」

2 比較級

(1)〈The ＋比較級～ ,the ＋比較級 ...〉「～すればするほど…」

(2) 比較級を含む慣用表現

no more than ～「ほんの～」，not more than ～「多くても～」

no less than ～「～も」，not less than「少なくても～」

know better than to *do*「～するほど愚かではない」